D1085855

# WEEK-END
## PAS CHER
# LONDRES
### ★★★ 2011 ★★★

★ VOYAGE ★ HÉBERGEMENT ★ BARS ET RESTOS ★ SHOPPING ★ CULTURE ★

# WEEK-END
# PAS CHER
# LONDRES

**★★★ 2011 ★★★**

★ VICKY CHAHINE

## L'ART ET LA MANIÈRE
## DE VOYAGER
## ★ SANS SE RUINER ★

LES BEAUX JOURS

*Un grand merci au flegme 100 % britannique de la reine et de ses sujets, sans lequel je ne serais pas tombée amoureuse de Londres.*
*Merci également à Jacques, qui m'a fait traverser la Manche pour la première fois, ainsi qu'à Mounette et Rudy pour leur aide quotidienne et précieuse dans la réalisation de ce guide et du reste.*

*À mon W., un fan des week-ends pas chers*

Nos adresses ont été sélectionnées selon des critères de prix, de qualité et d'atmosphère.
Pour toute remarque ou suggestion, vous pouvez nous écrire à l'adresse suivante : weekendpascher@lesbeauxjours.com

© 2011 LES BEAUX JOURS/COMPAGNIE PARISIENNE DU LIVRE (PARIS)

# Sommaire

P alaces somptueux et restaurants branchés aux additions fracassantes, coût de la vie démentiel : tout cela fait partie des images associées à la capitale anglaise. Comment, dans ces conditions, envisager d'y passer un week-end à petit prix ? Qu'on se rassure, tous les Londoniens n'ont pas le compte en banque de Madonna ni la collection de cartes de crédit des Beckham. Bien qu'il soit aisé à Londres de brûler ses deux derniers salaires en une seule soirée, on peut tout aussi bien s'y amuser sans s'endetter sur dix ans. La capitale anglaise recèle des boutiques proposant du vintage à des prix bradés, des restaurants de quartier absolument délicieux, des musées qui exposent certaines des plus belles toiles du monde auxquels on accède gratuitement ou encore des bed & breakfasts de charme situés en plein Notting Hill. Ce guide regroupe les meilleures adresses et bons plans londoniens : comment se nourrir intellec-tuellement et physiquement à moindres frais, où siroter durant le happy hour une pinte de bière à l'anglaise (c'est-à-dire debout, face au pub) ou bien comment dénicher un top Stella McCartney au prix d'un tee-shirt H & M ? Voici les clés pour dépoussiérer les poncifs sur Londres et profiter de son week-end sans craindre le coup de son fil de son banquier. *Enjoy !*

# 20 expériences incontournables
# pour un premier week-end à Londres

**1.** Rendre hommage à Charles Dickens, Henri Purcell et Marie Stuart, enterrés dans la **Westminster Abbey**. M° Westminster

**2.** Synchroniser sa montre avec celle de **Big Ben**. M° Westminster

**3.** Jeter un œil sur les bijoux de la couronne, exposés dans la **tour de Londres**. M° Tower Hill

**4.** Rendre visite à la reine à **Buckingham Palace**, son palais londonien, et assister à la relève de la garde, désespérément imperturbable. M° St James's Park

**5.** Monter au dernier étage de la **Tate Modern** pour admirer la vue imprenable sur les quais. M° Southwark

**6.** Faire son shopping chez **Topshop**, enseigne canonisée par Kate Moss qui y héberge sa propre ligne de vêtements (voir p. 127). M° Oxford Circus

**7.** Se promener sur **Portobello Road** à Notting Hill et dénicher un vêtement vintage chez **Retro Clothing** (voir p. 125), l'une des adresses emblématiques du quartier. M° Notting Hill Gate

**8.** Parcourir les 2,5 km² de **Hyde Park**. M° Marble Arch ou Hyde Park Corner

**9.** Se recueillir dans la **St Paul's Cathedral**, là où Lady Di a dit oui à Charles. M° St Paul's

**10.** Admirer la ville depuis les 135 mètres de hauteur du **London Eye**, une roue installée sur les quais au sud de la Tamise. M° Waterloo

**11.** Rejoindre la foule hétéroclite qui se presse chaque week-end au **marché de Camden**. M° Camden Town

**12.** Déjeuner d'un curry dans l'un des nombreux restaurants du **quartier indien de Brick Lane**. M° Liverpool Street

**13.** S'extasier devant l'anamorphose de crâne de la peinture *Les Ambassadeurs* de Hans Holbein, exposée à la **National Gallery** (M° Leicester Square) ou voir de ses yeux la pierre de Rosette au **British Museum** (M° Russell Square).

**14.** Faire le plein de thé, fudge, shortbread et autres produits anglais chez **Marks & Spencer**, enseigne mythique.

**15.** Dire bonjour à Kate Moss, à David Beckham et au prince Charles dans le **musée de cire Madame Tussauds**. M° Baker Street

**16.** Siroter une pinte de bière debout, à l'extérieur d'un **pub**.

**17.** Acheter chez tkts un billet soldé à 50 % pour aller voir le soir même l'une des nombreuses **comédies musicales** (voir p. 109). M° Leicester Square

**18.** Admirer la vue panoramique sur Londres depuis **Parliament Hill**, un parc situé sur les hauteurs de la ville. M° Tufnell Park

**19.** S'ouvrir l'appétit en se baladant dans l'incroyable Food Hall du grand magasin de luxe **Harrods**. M° Knightsbridge

**20.** *"Mind the gap"* (que l'on pourrait traduire par "attention à la bordure du quai") dans le **métro londonien**.

# PARTIR

**A**vant l'arrivée de l'Eurostar et des low-cost, il n'y avait que deux solutions pour se rendre à Londres : prendre le bateau ou payer cher son billet d'avion. Aujourd'hui, les offres sont plus nombreuses et, surtout, plus avantageuses, à condition de s'y prendre à l'avance.

• L'option la plus économique (et la plus rapide), si l'on vient de Paris ou de Lille, est sans conteste l'Eurostar, en réservant sa place suffisamment tôt sous peine de payer le prix fort.

• En avion, les compagnies low-cost proposent des prix incroyables à ceux qui réservent en avance et sont flexibles sur leurs dates. Quant aux compagnies aériennes "traditionnelles", elles peuvent pratiquer des prix modérés, même à quelques jours du départ.

• En voiture, la traversée en bateau ou par le tunnel (les deux formules coûtent quasiment le même prix) permet de faire des détours dans la charmante campagne anglaise, mais la note risque d'être salée dans les stations-service… Autrement, depuis certains ports français de la Manche, des forfaits avantageux combinent traversée en bateau et car jusqu'à Londres.

• Enfin, pour les voyageurs au budget serré et qui ne sont pas pressés, il reste le bus.

**Bonne route !**

## En train

L'Eurostar est devenu ces dernières années le moyen le plus rapide, le plus économique et le plus simple de se rendre à Londres… pour ceux qui ont la chance d'habiter Paris, Calais ou Lille !

### Eurostar

Tél. 08 92 35 35 39 • www.eurostar.com

Eurostar relie jusqu'à seize fois par jour Paris, Lille et Calais à Londres en respectivement 2h15, 1h15 et 1h20. La gare de St Pancras International, inaugurée en novembre 2007, a été installée dans un bâtiment historique rénové, en plein centre-ville. Les prix sont ultra-

compétitifs, à condition de réserver longtemps à l'avance : à partir
de 77 € l'aller-retour en classe standard, déjà très agréable.
**Bon à savoir :** Eurostar propose régulièrement des promotions.
Surveillez le site Internet… et ses campagnes de pub, qui ne passent
généralement pas inaperçues.

# En avion

À conseiller à ceux qui n'ont pas la possibilité de prendre le train
ou qui réservent leur billet à la dernière minute ! Si les vols low-cost
sont souvent très avantageux, les compagnies nationales proposent des prix globalement assez bas, même quelques jours avant le
départ. Seul inconvénient : vous risquez de perdre du temps dans
les aéroports et de l'argent dans les transports, car le trajet pour
rejoindre le centre-ville depuis les aéroports, assez excentrés, n'est
pas donné.

## Les compagnies low-cost

### EasyJet
Tél. 0825 0825 08 • www.easyjet.com
Cette compagnie low-cost propose des vols quotidiens reliant Lon-
dres Luton à Paris et à Bordeaux (à partir de 31,49 € TTC l'aller),
Londres Stansted ou Gatwick à Lyon (à partir de 29,49 € TTC l'aller),
Londres Gatwick à Toulouse et à Marseille (à partir de 26,49 € TTC
l'aller), Londres Gatwick, Stansted et Luton à Nice (à partir de 29,99 €
TTC l'aller).
**Bon à savoir :** la réservation par téléphone est majorée de 7 €.

### Ryanair
Tél. 0892 232 375 • www.ryanair.com
Cette compagnie aérienne relie quotidiennement ou plusieurs
fois par semaine de nombreuses villes de province à Londres. Pour
l'aéroport de Luton, des vols partent de Nîmes et de Brest ;

pour l'aéroport de Stansted, ils décollent de Bergerac, Biarritz, Carcassonne, Dinard, Grenoble, La Rochelle, Limoges, Marseille, Montpellier, Nantes, Beauvais, Pau, Perpignan, Poitiers, Rodez, Toulon et Tours. À partir de 5 € TTC l'aller, quelle que soit la ville de départ.

## BMI

Tél. 01 41 91 87 04 • www.flybmi.com

Pour rejoindre Londres Heathrow, cette compagnie anglaise propose des vols au départ de Lyon durant la saison des sports d'hiver (aller à partir de 54 € TTC).

### Les lignes régulières

## Air France

Tél. 3654 • www.airfrance.fr

La compagnie française affiche jusqu'à sept vols par jour reliant Paris à Londres City et jusqu'à douze vols pour Londres Heathrow (à partir de 124 € TTC l'aller-retour). Elle relie également quotidiennement Strasbourg à Londres Gatwick (à partir de 175 € TTC l'aller-retour) et Nice à Londres City (à partir de 130 € TTC l'aller-retour).

## British Airways

Tél. 082 5825 400 • www.ba.com

À destination de Londres Heathrow, la compagnie propose quotidiennement dix vols depuis Paris (aller à partir de 60 € TTC), six vols depuis Nice, trois depuis Lyon. À destination de Londres Gatwick, elle affrète tous les jours deux vols depuis Bordeaux, Marseille et Toulouse (aller à partir de 47 € TTC).

### À votre arrivée à l'aéroport

Les aéroports londoniens sont assez éloignés du centre-ville. Cela vous coûtera du temps et de l'argent d'y atterrir et d'en décoller. Prenez ces critères en compte quand vous calculerez votre budget (surtout si vous partez à plusieurs).

## Gatwick (45 km au sud de Londres)

Tél. 087 0000 2468 • www.gatwickairport.com

Pour rejoindre le centre de Londres, on peut emprunter le Gatwick Express qui conduit, toutes les 15 minutes, à la station de métro Victoria en 30 minutes (£16.90). Moins cher, le South Central rejoint la même station en 35 minutes, avec un départ toutes les 15 minutes (£10.90). Quant au réseau Thameslink, il conduit, toutes les 40 minutes à la gare de London Bridge en 30 minutes (£10). En taxi, il faut compter environ £70 pour un trajet d'une heure.

## Heathrow (24 km à l'ouest de Londres)

Tél. 087 0000 0123 • www.heathrowairport.com

Pour quitter le plus grand aéroport d'Europe, le bon plan si on n'est pas pressé : la Piccadilly Line, qui permet de rejoindre le centre en 50 minutes avec un départ toutes les 5 à 10 minutes (£4). Plus rapide, mais plus cher, le Heathrow Express conduit à Paddington en 20 minutes (jusqu'à 4 trains par heure) pour £16.50 (demi-tarif pour les enfants). En taxi, il faut compter 50 minutes et environ £50.

## London City (10 km à l'est de Londres)

Tél. 020 7646 0088 • www.londoncityairport.com

C'est l'aéroport le plus proche du centre-ville et généralement le préféré des businessmen qui, grâce à la ligne de métro Docklands Light Railway, atteignent la station Bank, près du quartier des affaires, en 22 minutes (un train toutes les 7 à 10 minutes, £4). Le taxi coûte environ £20 pour un trajet de 45 minutes.

## Stansted (56 km au nord-est de Londres)

Tél. 087 0000 0303 • www.stanstedairport.com

Pour quitter l'aéroport, deux solutions : le Stansted Express qui relie, jusqu'à 4 fois par heure, Liverpool Street en 45 minutes (£18), ou bien le bus National Express qui conduit 24h/24 à la gare Victoria en 1h40 (jusqu'à 6 bus par heure, £10.50 le billet). En taxi, il faut compter 1h15 et environ £90.

### Luton (56 km au nord-ouest de Londres)

Tél. 015 8240 5100 • www.london-luton.co.uk

Pour rejoindre le centre-ville, il faut prendre le bus de la Greenline 757 qui conduit, 24h/24 et toutes les 30 minutes, à la station Victoria en 1h15 (£13). Sinon, on peut emprunter le Shuttlebus jusqu'à Luton Airport Parkway, puis le Thameslink jusqu'à King's Cross. Vous pouvez opter pour ce trajet 24h/24. Il dure 40 minutes et il y a jusqu'à 8 départs par heure (£11.20 le billet). Le taxi revient environ à £75 pour un trajet d'une durée de 1h15.

## En car

### Eurolines

Gare routière internationale de Paris-Gallieni

28, avenue du Général-de-Gaulle, 93170 Bagnolet • **M° Gallieni**

Tél. 0892 89 90 91 (0,34 €/min) • www.eurolines.fr

Les bus Eurolines tout confort (climatisation, lecteur DVD, fontaine d'eau gratuite, toilettes, etc.) relient, au départ de plus d'une trentaine de villes en France et jusqu'à huit fois par jour, Paris à Londres *via* le tunnel ou le ferry. L'aller-retour Paris-Londres coûte entre 19 € et 65 €, Toulouse-Londres entre 74 € et 116 €. Pour bénéficier du tarif le plus bas, réserver 60 jours avant le départ. Les moins de 26 ans bénéficient de 10 % de réduction, hors tarifs promotionnels.

## En voiture

Prendre sa voiture puis traverser la Manche par bateau ou *via* le tunnel est une solution qui peut s'avérer économique si vous voyagez à plusieurs – les tarifs étant généralement calculés par voiture, indépendamment du nombre de passagers. Elle peut également être avantageuse si vous envisagez de prolonger votre virée à Londres par des excursions dans tout le pays, les chemins de fer anglais étant très coûteux, en comparaison des prix pratiqués par la SNCF.

Côté anglais, les bateaux amarrent généralement à Douvres, à 125 kilomètres de Londres, soit 1h30 en voiture. Le tunnel, lui, aboutit à Folkestone, non loin de Douvres.

Comme pour le train ou l'avion, les tarifs les plus intéressants s'obtiennent en réservant en avance. Il est également recommandé de guetter les promotions spéciales sur les sites Internet des compagnies.

### Par le tunnel

## Eurotunnel

Tél. 0810 630 304 • www.eurotunnel.com

Cette compagnie relie Coquelles (Calais) à Folkestone en 45 minutes, en empruntant le tunnel sous la Manche. Un départ toutes les deux heures, 24h/24 et 7j/7. À partir de 30 € (aller simple) la traversée pour une voiture, sans limitation du nombre de passagers. Il reste ensuite 112 km à parcourir de Folkestone au centre-ville de Londres, soit 1h30 en voiture.

### Conduire à Londres

En Angleterre, la vitesse est limitée à 30 mph (48 km/h) dans les agglomérations, 60 mph (97 km/h) sur les routes à voie unique et 70 mph (113 km/h) sur les autoroutes et les routes à deux voies. Et n'oubliez pas qu'on roule à gauche !

Attention, depuis 2003, pour circuler dans le centre de Londres entre 7h et 18h30, il faut s'acquitter de la Congestion Charge, une taxe de £8 payable sur Internet (www.cclondon.com), par téléphone (0845 900 1234) ou dans certains points de vente.

**Bon à savoir :** mieux vaut payer la taxe en avance, car son montant passe à £10 si on la règle le jour suivant (le délai maximum pour payer).

## Par bateau

Nous avons sélectionné quelques compagnies de ferries pour leurs tarifs attractifs ; pour une offre plus large ou au départ d'autres villes de France, consultez le site www.directferries.fr.

### P & O

Tél. 0820 900 061 • www.poferries.fr

Cette compagnie propose jusqu'à 25 traversées par jour pour relier Calais à Douvres en 1h30 avec des départs tôt le matin et tard le soir. À partir de 32,50 € pour la traversée d'une voiture pouvant accueillir jusqu'à neuf passagers.

### LD Lines

Tél. 0825 304 304 • www.ldlines.fr

Deux départs quotidiens entre Boulogne et Douvres pour une durée de 1h45. À partir de 27,50 € l'aller simple pour une voiture avec quatre passagers.

### Bretons et Normands, en bateau !

Idéal pour ceux qui habitent près de la Manche : cette compagnie maritime propose différents forfaits pour se rendre à Londres par bateau puis en car. Depuis Caen-Ouistreham, les passagers peuvent choisir d'aller à Londres pour une journée (à partir de 65 € TTC l'aller-retour avec départ le vendredi soir, traversée maritime de nuit sur un siège inclinable, transfert à Londres en autocar et départ de Londres le samedi soir). Depuis Caen-Ouistreham, Cherbourg, Saint-Malo et Roscoff, des formules sont proposées pour un séjour de deux ou trois jours (respectivement à partir de 139 € et 175 €, incluant le transport et une ou deux nuits d'hôtel ou de bed & breakfast). La traversée dure de 3h45 à 7h depuis Caen, 3h depuis Cherbourg, 10h45 depuis Saint-Malo et de 6h à 8h depuis Roscoff.

**BRITTANY FERRIES**
Tél. 0825 828 828 • www.brittany-ferries.fr

# SE DÉPLACER

E nviron 7,5 millions de personnes habitent The Greater London (le centre de Londres et sa banlieue), parmi lesquels 2,7 millions vivent dans le centre (Paris intra-muros compte 2,1 millions d'habitants). La ville s'étend sur 1 580 km$^2$ et compte treize *boroughs* (quartiers). Pour se faire une opinion de Londres, il faut visiter les nombreux quartiers de la ville qui possèdent chacun leur propre identité et des populations différentes : la communauté asiatique de Chinatown, les punks de Camden Town, les bobos de Notting Hill, les branchés de Shoreditch, etc.

**Bon à savoir :** il est difficile de découvrir la ville à pied, tant les distances sont grandes. Mieux vaut opter pour les transports en commun (les taxis sont hors de prix).

# En métro

### À savoir

• Le métro londonien, appelé *The Underground* ou *The Tube*, fonctionne de 5h30 à 0h-1h du matin (tout dépend des stations), il ferme environ 20 minutes plus tôt le dimanche et les jours fériés. Le réseau comprend 12 lignes, 270 stations et 6 zones.
• Attention ! De nombreux travaux ont lieu sur les lignes, notamment le week-end. Il est préférable de consulter l'état du trafic affiché à l'entrée de chaque station. Pour calculer un itinéraire et se renseigner sur le trafic : www.tfl.gov.uk et 020 7222 1234.
• Le prix du ticket de métro dépend du nombre de zones traversées.

### Tarifs

### Ticket de métro

Le ticket de métro à l'unité est généralement la solution la moins économique, dès lors que l'on prévoit d'effectuer plusieurs trajets durant le séjour. Le prix du ticket dépend du nombre de zones traversées : comptez £4 pour un trajet dans les zones 1 et 2.

## Day Travelcard

À partir de deux trajets dans la journée, mieux vaut acheter une Day Travelcard qui donne, pendant toute une journée, un accès illimité au métro, mais aussi aux bus et aux bus de nuit. À noter, vous aurez à choisir entre deux sortes de Day Travelcard : la carte *peak* est valable à toute heure, et l'autre, dite *off-peak*, n'est utilisable qu'une fois passées les heures de pointe du matin, soit à partir de 9h30 les jours de semaine et toute la journée le week-end. À titre indicatif, pour les zones 1-2, une Day Travelcard peak vous coûtera £7.20 contre £5.60 pour une carte *off-peak*. Un tarif intéressant, donc, comparé à celui du billet à l'unité.

## Oyster Card

Utilisable dans le métro et le bus, l'Oyster Card est assurément le moyen le plus économique de se déplacer dans Londres. Il s'agit d'une carte de transport magnétique, rechargeable à volonté, que l'on passe sur une borne jaune à la station de départ comme à celle d'arrivée de chaque voyage. À chaque utilisation de la carte, un système de calcul "intelligent" vous garantit de payer le prix le plus bas.

Première bonne nouvelle : si vous n'effectuez qu'un voyage, les trajets à l'unité payés avec l'Oyster Card reviennent toujours moins cher que les tickets "papier" traditionnels. Ainsi, un aller simple en zones 1 et 2 hors heures de pointe coûte £1.60 avec l'Oyster Card contre £4 pour un ticket traditionnel à l'unité.

De plus, si le système détecte que vous avez effectué plusieurs trajets dans une même journée avec votre carte Oyster, il vous fait bénéficier automatiquement de l'avantageux tarif Day Travelcard (qui plus est, avec une réduction supplémentaire par rapport au prix d'une Day Travelcard "papier").

L'Oyster Card s'obtient contre une caution de £3, remboursable en fin de séjour – à moins qu'on ne choisisse de conserver la carte pour une prochaine fois (sa validité n'étant pas limitée dans le temps). Elle peut être rechargée du montant désiré sur Internet ou directement dans le métro. **Bon à savoir :** validez impérativement l'Oyster Card au départ et à l'arrivée pour bénéficier des tarifs.

|  | AVEC UN TICKET "PAPIER" | AVEC UNE OYSTER CARD |
|---|---|---|
| **Trajet en métro zone 1** | £4 | £1.60 |
| **Trajet en métro zones 1-2 (du lundi au vendredi de 6h30 à 9h30 et de 16h à 19h)** | £4 | £2.20 |
| **Trajet en métro zones 1-2 (autres horaires et jours fériés)** | £4 | £1.60 |
| **Trajet en bus** | £2 | £1 |
| **Day Travelcard peak, zones 1-2** | £7.20 | £6.70 |
| **Day Travelcard off-peak, zones 1-2** | £5.60 | £4.80 |

# En bus

Quelque 6 500 bus circulent à Londres avec plus de 700 trajets. Les mythiques *double deckers* (bus à deux étages, circulant
désormais dans leur version modernisée) offrent une vue panoramique de la ville. Meilleur marché que ceux du métro, les tickets de
bus à l'unité coûtent £2 (£1 avec l'*Oyster Card*).

**Bon à savoir:** En plus du métro, la Day Travelcard donne un accès
illimité aux bus. De minuit à 6h, des bus de nuit (dont le numéro est
précédé de la lettre N) partent régulièrement de Trafalgar Square
pour relier les quatre coins de la ville.
**Bon plan:** pour éviter les bus touristiques qui proposent des visites
de Londres hors de prix, empruntez les bus publics pour découvrir la
ville. La **ligne 11**, reliant Fulham Broadway à Liverpool Street, passe
par Buckingham Palace, la chic artère de King's Road, l'abbaye de

Westminster, la place de Covent Garden, Trafalgar Square, la cathédrale St Paul's et le quartier d'affaires de Liverpool Street. La **ligne 23** sillonne Londres de Westbourne Park à Liverpool Street, en passant par le marché de Portobello, Oxford Street, Hyde Park, Covent Garden, Trafalgar Square et la cathédrale St Paul's.

## Voyager avec des enfants : la belle affaire !

Le métro et le bus sont gratuits pour les enfants de moins de 11 ans s'ils sont accompagnés d'un adulte. Quant aux enfants de 11 à 15 ans, sur présentation de la Oyster Photocard, ils peuvent se déplacer gratuitement en bus, et bénéficient de tarifs réduits dans le métro. Pour se procurer cette carte, demandez le formulaire sur le site www.tfl.gov.uk quatre semaines au moins avant la date de votre séjour. Sans cette carte, les 11-15 ans peuvent quand même bénéficier d'une Day Travelcard off-peak (après 9h30 en semaine, toute la journée le week-end et les jours fériés) à £1.

# En taxi

Il en existe deux sortes à Londres.
• Les **black cabs**, appelés ainsi à cause de leur couleur, peuvent être hélés dans la rue ou commandés par téléphone (0871 871 8710) en comptant £2 de frais supplémentaires. Ils ont un compteur. S'ils sont libres, la lumière jaune sur le toit de la voiture est allumée.
• Les **minicabs**, des taxis privés, doivent quant à eux être réservés et le prix est fixé à l'avance. Il existe beaucoup de taxis officieux. Pour éviter les mauvaises surprises, mieux vaut en réserver un qui soit titulaire du Public Carriage Office (PCO) au 020 7222 1234 ou sur le site des transports publics www.tfl.gov.uk.
**Bon à savoir :** si vous êtes 5 personnes (le maximum accepté), prendre le taxi peut vous revenir moins cher que le métro.

# À vélo

Depuis que le Tour de France y a démarré en 2007, Londres est plus que jamais une ville qui peut se découvrir à vélo (quand le temps s'y prête…). De nombreuses pistes cyclables (1 405 km) ont été aménagées dans le centre où le terrain est… plutôt plat ! Une solution idéale pour découvrir, entre autres, les 2,5 km$^2$ de Hyde Park.

Au tour de la France d'inspirer l'Angleterre ! Londres s'est dotée, en juillet 2010, d'un système calqué sur celui de Vélib'. Moyennant un abonnement – £1 pour 24 heures ou £5 pour une semaine –, vous pouvez emprunter un deux roues dans l'une des 400 bornes disséminées dans la ville puis le déposer à celle de votre choix. Le coût ? Gratuit pour 30 minutes, £1 pour une heure, £4 pour une heure et demie. Renseignements : www.tfl.gov.uk/barclayscyclehire.

• Pour découvrir la ville à deux roues, on peut se procurer les **London Cycle Guides**, une vingtaine de brochures éditées par quartier, disponibles gratuitement chez certains commerçants ou sur demande au 020 7222 1234. **Bon à savoir :** le site des transports publics (www.tfl.gov.uk) permet de prévoir son itinéraire à vélo.

## London Bicycle Tour Company

1a, Gabriel's Wharf, 56 Upper Ground • **M° Waterloo**
Tél. 020 7928 6838 • www.londonbicycle.com
Ouvert tous les jours de 10h à 18h
Propose des locations de vélos (£3 l'heure, £19 la journée) et des visites guidées de la ville en deux roues (de £8 à £15.95).

## On Your Bike

52-54, Tooley Street, SE1 2SZ • **M° London Bridge**
Tél. 020 7378 6669 • www.onyourbike.com
Si vous optez pour une location à la journée, cette agence propose un forfait 24 heures à £12.

# DORMIR

C'est LE sujet épineux des week-ends à Londres... Pas de panique ! Entre les hôtels hors de prix et les établissements crapoteux ou excentrés, il existe des solutions pour dormir dans de beaux draps sans vider son compte en banque. Bed & breakfasts, auberges de jeunesse, résidences universitaires ou hôtels : à chacun de choisir le style et le petit prix qui lui convient.

# À savoir

• Mieux vaut un hébergement un peu plus cher dans le centre de Londres (zones 1 et 2) qu'une solution meilleur marché excentrée, car l'économie réalisée risque d'être engloutie en achat de tickets de métro. Outre l'aspect financier, vous risquez également de perdre beaucoup de temps dans les transports.
• Une chambre est dite *basic* quand la salle de bains est dans le couloir ; elle est *en suite* quand elle dispose d'une salle de bains privée.
• Pour les hôtels, mieux vaut comparer les prix avec les centrales de réservation sur Internet qui proposent souvent des tarifs plus intéressants et la possibilité d'annuler, sans motif et sans frais.
• La grande majorité des hébergements à Londres, tout comme les lieux publics, sont non fumeurs.
• La plupart des bed & breakfasts sont à régler en liquide.
• Dans la City et Canary Wharf, les deux quartiers business de la ville, de nombreux hôtels de grandes chaînes proposent des promotions le week-end, leur période creuse.

## Hébergement, mode d'emploi
• ch. : chambre
• 🛏👤 : chambre simple
• 🛏👤👤 : chambre double
• 🛏👤👤👤 : chambre triple
• 🛏👤👤👤👤 : chambre quadruple
• SdB : salle de bains
• 🍴 : petit-déjeuner (compris lorsque le prix n'est pas précisé)

## Quelques pistes pour consulter ce guide

Les prix s'entendent par chambre et par nuit, sauf mention contraire. Les adresses sont classées par ordre alphabétique du nom de la station de métro la plus proche.

Sauf mention contraire, les chambres disposent d'une salle de bains.

# Hôtels : le confort à petits prix

Cosy ou fonctionnels, créatifs ou familiaux, voici une sélection d'hôtels originaux, à très bons prix.

## Garden Court Hotel

30-31, Kensington Gardens Square, W2 4BG • **M° Bayswater**
Tél. 020 7229 2553 • www.gardencourthotel.co.uk
32 ch. • 🛏️ £47 (SdB dans le couloir) ou £69 • 🛏️ £75 (SdB dans le couloir) ou £105 • 🛏️ £145 • 🖵

Situé non loin de Notting Hill, cet hôtel est tenu par la même famille depuis cinquante ans ! Le bâtiment victorien (classé) – datant de 1858 – abrite des chambres un peu petites, mais rénovées récemment. L'accueil est incontestablement l'un des points forts de l'établissement, sans oublier la bibliothèque cosy dont les rayonnages accueillent des guides de Londres et des romans à emprunter. **Le plus :** si le temps le permet, on peut s'installer dans le petit jardin à l'heure du thé (offert par la maison).

## UmiHotel

16, Leinster Square, W2 4PR • **M° Bayswater**
Tél. 020 7221 9131 • www.umihotels.co.uk
114 ch. • 🛏️ £49 • 🛏️ £60 • 🛏️ £90 • 🛏️ £99
🖵 £5.95 et £9.95

Cet établissement a été imaginé par une équipe de jeunes créatifs pour bousculer les normes hôtelières. Le principe ? Offrir un service digne d'un grand hôtel, une situation centrale et le confort d'un 3 étoiles à un prix abordable. Le premier établissement, ouvert en 2007, est installé sur une charmante place du quartier huppé de Notting Hill. À la disposition des clients : un service de conciergerie, des magazines, un restaurant et des expositions signées par des étudiants en photo. Les chambres sont simples et confortables. Un très bon rapport qualité-prix.

## Premier Travel Inn

215, Haverstock Hill, NW3 4RB • **M° Belsize Park**
Tél. 0871 527 8662 • www.premierinn.com
143 ch. • 🛏 et 🛏 à partir de £59 • ☕ £5.25 et £7.50

Fonctionnels, propres et généralement bien situés, les hôtels de la chaîne Premier Travel Inn proposent un bon rapport qualité-prix. Cet établissement, installé dans le charmant quartier bobo de Hampstead, est tout confort : télévision, accès Internet (payant), restaurant-snack, parking gratuit et accueil affable… Autant d'atouts qui séduisent une clientèle d'affaires comme de touristes. À deux pas, le gigantesque parc de Hampstead est également un bonheur.

## Lavender Guesthouse Hotel

18, Lavender Sweep, SW11 1HA • **M° Clapham Junction**
Tél. 020 7585 2767 ou 020 7223 1973 • www.thelavenderguesthouse.com
8 ch. • 🛏 à partir de £45 (SdB dans le couloir) ou £60
🛏 à partir de £55 • 🛏 à partir de £65 • ☕

Les propriétaires de cet établissement, à mi-chemin entre le bed & breakfast et l'hôtel, veillent particulièrement au service et à l'accueil. Les chambres sont simples et propres. Clapham Junction n'est situé qu'à quelques minutes en métro de Waterloo et de Victoria : l'emplacement en zone 2 reste donc assez central. **Le plus :** le jardin fleuri.

## Dormir au pub !

À l'origine, le New Inn est un pub installé dans un building du début du xixe siècle. Il est aujourd'hui fréquenté par les habitants de ce quartier résidentiel à quelques minutes du métro de St John's Wood, non loin de Regent's Park. À l'étage, les propriétaires ont décidé d'aménager cinq chambres confortables avec salle de bains et télévision. La déco la joue british : meubles en bois sombre et couvre-lit assorti aux rideaux. Dormir au pub sans être affalé sur le bar, ça a le mérite d'être original !

**THE NEW INN**
**2, Allitsen Road, NW8 6LA • M° St John's Wood**
**Tél. 020 7722 0726 • www.newinnlondon.co.uk**
5 ch. • 🛏️ ♦ ♦ £75 • 🍽️ de £5 à £8

## Rushmore Hotel

11, Trebovir Road, SW5 9LS • **M° Earl's Court**
Tél. 020 7370 3839 • www.rushmore-hotel.co.uk
22 ch. • 🛏️ ♦ de £59 à £69 • 🛏️ ♦ de £79 à £89
🛏️ ♦ ♦ ♦ et 🛏️ ♦ ♦ ♦ ♦ de £99 à £129 • 🍽️

Après avoir passé la porte de cette jolie maison victorienne, on est surpris par la décoration, tout droit sortie d'un palais italien ! Les murs sont couverts de peintures en trompe-l'œil et les rideaux de certaines chambres – dans l'ensemble assez petites, mais propres – font dans le drapé bleu ciel et saumon. Éclairée à la lumière naturelle grâce à la grande verrière, la salle du petit-déjeuner (copieux) est en granit et en verre de Murano. La situation géographique, à deux pas du métro Earl's Court, est centrale pour visiter la ville. **Attention :** les grandes chambres sont situées au 4e étage… sans ascenseur !

## The Pavilion

34-36, Sussex Gardens, W2 1UL • **M° Edgware Road**
Tél. 020 7262 0905 • www.pavilionhoteluk.com
27 ch. • 🛏👤 £60 • 🛏👤👤 £100 • 🛏👤👤👤 £120 • 🛏👤👤👤👤 £130 • 🖵

Amoureux du rococo, bonjour! Ici, pour trouver sa chambre, on choisit son thème. La Casablanca Nights ravira les amoureux du Maroc, la Honky Tonk Afro les fans des années 1970 et la Highland Fling les aficionados du tartan. L'endroit accueille régulièrement des shootings de mode et des célébrités qui aiment y donner leurs interviews. Naomi Campbell, Daniel Day-Lewis, Leonardo di Caprio, Neneh Cherry ou encore les Daft Punk et Jarvis Cocker sont déjà passés par là, sans que les propriétaires Danny et Noshi Karne, frère et sœur, n'en aient profité pour augmenter leurs tarifs. Une expérience *in vivo* de l'excentricité londonienne !

## Yotel Gatwick

Rez-de-chaussée du terminal Sud, Gatwick Airport, West Sussex, RH6 0NP
**M° Gatwick Express** • Tél. 020 7100 1100 • www.yotel.com
46 ch. • 🛏👤 £25  et 🛏👤👤 £40 pour 4 heures ; à partir de £8 par heure supplémentaire • 🖵 £6

C'est après avoir fait l'expérience de la première classe de British Airways et des hôtels-capsules au Japon que Simon Woodroffe, un businessman anglais averti, a décidé d'ouvrir cet hôtel d'un genre particulier. On y propose de petites cabines avec un lit, un bureau et une salle de bains dans un espace réduit très fonctionnel. Les cabines standard et supérieure font respectivement 7 et 10 m². Une petite faim ? Il suffit d'allumer la télévision et de commander directement son repas, livré en 15 minutes. Claustrophobes s'abstenir : il n'y a pas de fenêtre. **Bon à savoir:** tarifs élevés si l'on réserve sur Internet. Une annexe vient d'ouvrir à Heathrow. Une solution idéale pour ceux qui arrivent tard à Londres ou qui en repartent tôt.

## George Hotel

58-60, Cartwright Gardens, WC1H 9EL • **M° King's Cross St Pancras**

Tél. 020 7387 8777 • www.georgehotel.com

40 ch. • 🛏🚹 £49.50 (SdB dans le couloir) ou £75 • 🛏🚹🚹 £68.50 (SdB dans le couloir) ou £89 • 🛏🚹🚹🚹 £79 (SdB dans le couloir) ou £99 • 🍴

Ceux qui ont opté pour un trajet en Eurostar seront sûrement enchantés de ne pas prendre le métro pour se rendre à leur hôtel. Celui-ci, charmant, est situé à deux pas de la gare de St Pancras, sur un square arboré. Il est équipé tout confort et offre un accès Internet en Wifi, idéal pour planifier les visites de la journée. Les chambres sont toutes cosy, mais il faut demander de préférence celles qui ont été rénovées. **Bon à savoir:** les tarifs sont dégressifs pour les séjours de plus de trois nuits.

## Travelodge

10-42, King's Cross Road, WC1X 9LN • **M° King's Cross St Pancras**

Tél. 0871 984 6274 • www.travelodge.co.uk

🛏🚹, 🛏🚹🚹, 🛏🚹🚹🚹 de £49 à £71 • 🍴 £5.99 et £7.50

Situé près de la gare de King's Cross St Pancras, cet hôtel propose des chambres confortables avec baignoire et télévision, un petit-déjeuner à emporter ou à déguster au Bar Café ainsi qu'un parking.

## Ibis

5, Commercial Street, E1 6BF • **M° Liverpool Street**

Tél. 020 7422 8400 • www.ibishotel.com

🛏🚹🚹 à partir de £65 • 🍴 £5.55

Les amateurs de chaînes hôtelières peuvent opter pour l'Ibis situé dans le quartier des affaires de la City. Une bonne surprise : le week-end, les prix sont plus bas.

## The Hoxton Hotel

81, Great Eastern Street, EC2A 3HU • **M° Old Street**
Tél. 020 7550 1000 • www.hoxtonhotels.com
205 ch. • 🛏 ♦ ♦ de £1 à £199 • 🖵

L'un des meilleurs rapports qualité-prix de la capitale, autant apprécié des businessmen que des touristes. Ses atouts ? Son style industriel très contemporain, ses œuvres d'art exposées dans l'entrée, son
bar bondé tous les soirs, ses services (Wifi et une heure d'appels télé-
phoniques gratuits) sans oublier ses prix. L'hôtel propose quatre fois
par an des chambres doubles à £1 sur son site. Mieux vaut être rapide
car la dernière vente a vu s'envoler 1 000 chambres en 11 minutes !
Le reste de l'année, les prix restent corrects avec de nombreuses
promotions sur le site Internet. **Bon à savoir:** le petit-déjeuner
inclus est constitué d'un yaourt, d'une banane et d'un jus d'orange
livré devant la chambre ; le petit-déjeuner, le vrai, est payant.

## Stylotel

160-162, Sussex Gardens, W2 1UD • **M° Paddington**
Tél. 020 7723 1026 • www.stylotel.com
47 ch. • 🛏 ♦ ♦ de £80 à £150 • 🖵

C'est un bâtiment dont l'intérieur ne ressemble en rien à l'extérieur. Ces deux bâtisses du XIXᵉ siècle abritent une décoration plutôt
contemporaine, avec quelques touches high-tech. Propreté, situation géographique (à deux pas de la station Paddington qui dessert
quatre lignes de métro) et accueil chaleureux sont les atouts de
l'établissement. Son point faible ? L'étroitesse des chambres. Mais si
vous ne comptez qu'y dormir…

## City Inn

30, John Islip Street, London, SW1P 4DD • **M° Pimlico**
Tél. 020 7630 1000 • www.cityinn.com
460 ch. • 🛏 ♦ ♦ de £89 à £211 • 🖵

À deux pas de la Tate Britain et des quais de la Tamise, cet hôtel
a la faveur des businessmen la semaine et des touristes futés le
week-end, car l'établissement brade alors ses prix. Les chambres

sont très confortables, avec un design contemporain et épuré. Côté parties communes, les clients peuvent profiter de la salle de gym, du restaurant City Café, du très glamour Millbank Lounge et d'un concierge disponible 24h/24. **La bonne idée :** toutes les chambres possèdent un ordinateur iMac, le Wifi gratuit et l'accès Skype pour téléphoner gratuitement partout dans le monde.

## Riverside Hotel

23, Petersham Road, Richmond, Surrey, TW10 6UH • **M° Richmond**
Tél. 020 8940 1339 • www.riversiderichmond.co.uk
22 ch. • 🛏️ à partir de £55 • 🛏️ à partir de £90 • Chambre familiale £105 • 📺

À 15 minutes d'Earl's Court, en zone 4, on est déjà à la campagne ! La banlieue de Richmond, non loin de Wimbledon et des somptueux Kew Gardens, est réputée pour être l'une des plus jolies de Londres. L'hôtel surplombe la Tamise et certaines chambres offrent même une vue sur le fleuve. C'est un véritable havre de paix que l'on retrouve avec plaisir après avoir visité la National Gallery et fait du shopping sur Oxford Street !

## EasyHotel Victoria

36-40, Belgrave Road, SW1V 1RG • **M° Victoria**
Tél. 020 7834 1379 • www.easyhotel.com
77 ch. • 🛏️ sans fenêtre de £25 à £42 ; avec fenêtre de £45 à £64

Après EasyInternet et EasyJet, voici EasyHotel. Le concept reste le même : on réduit les coûts au maximum en facturant chaque service pour proposer un tarif le plus bas possible. Le 3e hôtel londonien de la chaîne compte déjà des fidèles. Au choix : une chambre avec ou sans fenêtre – les moins chères laissant tout juste la place de poser sa valise… Mais le service est très correct et les chambres propres. La télévision (£5), le ménage (£10) et le stockage des bagages (£5 pour deux) restent donc en supplément. **Bon à savoir :** les réservations se font uniquement sur Internet.

### Luna & Simone Hotel

47-49, Belgrave Road, SW1V 2BB • **M° Victoria**

Tél. 020 7834 5897 • www.lunasimonehotel.com

36 ch. • £65 • £85 • £105 • £130 •

Il règne une atmosphère chaleureuse dans cet hôtel, insufflée sans conteste par les frères jumeaux Peter et Bernard Desira, qui ont repris l'affaire de leur père. Le service est attentif et charmant. Quant aux chambres, elles sont confortables, propres et bien agencées. Une adresse qui se démarque des dizaines d'hôtels ternes installés dans le quartier.

#### Plus chic, mais un peu plus cher

Les fondateurs du Base2Stay, un hôtel d'un nouveau genre, ont souhaité combiner les services d'un palace, les équipements d'un appart-hôtel et des prix corrects. Résultat : un service de conciergerie et des écrans plats, l'accès Internet en Wifi et des kitchenettes dans des chambres au style épuré.

#### BASE2STAY

**25, Courtfield Gardens, SW5 0PG • M° Earl's Court**

Tél. 020 7244 2255 • www.base2stay.com

67 ch. • à partir de £93

# Best-of des bed & breakfasts

Pour arrondir leurs fins de mois, certains Londoniens ouvrent une ou plusieurs de leurs chambres à des touristes de passage. C'est ce que l'on appelle les bed & breakfasts : une formule qui comprend généralement la nuit et le petit-déjeuner maison. C'est plus personnel qu'un hôtel, les prix sont vraiment accessibles et vous pourrez glaner de précieux conseils auprès de vos hôtes !

## Arlington Avenue

Arlington Avenue, N1 7AX • **M° Angel** • Tél. 077 1126 5183
2 ch. • 🛏 ♦ de £40 à £43 (SdB dans le couloir) • 🛏 ♦ ♦ de £45 à £50 (SdB dans le couloir) • 🖵

C'est dans une rue calme du Nord de Londres, à 10 minutes du charmant quartier d'Islington, que se trouve ce bed & breakfast dirigé par un jeune homme féru d'art. Les deux chambres qu'il loue depuis maintenant plus de dix ans sont situées au 1er étage, avec une salle de bains au sous-sol à partager – sauf si l'autre chambre est inoccupée. Pour le petit-déjeuner, on se sert comme chez soi dans la grande cuisine qui donne sur un jardin fleuri très dépaysant.

## 66 Camden Square

66, Camden Square, NW1 9XD • **M° Camden Town** • Tél. 020 7485 4622
2 ch. • 🛏 ♦ £50 (SdB dans le couloir) • 🛏 ♦ ♦ £100 (SdB dans le couloir) • 🖵

À deux pas de l'agitation de Camden Town, on s'étonne de trouver ce bâtiment archiminimaliste en teck, brique et verre. Cette maison d'architecte – signée et construite par Rodger Davis, le propriétaire – abrite deux chambres confortables, meublées avec des pièces design. On retrouve à l'intérieur des souvenirs rapportés de nombreux voyages aux quatre coins du monde, dont un charmant perroquet baptisé Peckham. Un lieu clair, spacieux et confortable.
**Bon à savoir :** pour une réservation d'une seule nuit, le prix est majoré de £5 par personne.

## Hampstead Village Guesthouse

2, Kemplay Road, NW3 1 SY • **M° Hampstead Heath**

Tél. 020 7435 8679 • www.hampsteadguesthouse.com

9 ch. • 🛏️👤 £55 (SdB dans le couloir) ou £65 • 🛏️👤👤 £80 (SdB dans le couloir) ou £95 • 🍽️ £7

Fans du minimalisme s'abstenir ! Accompagnée de son chien Marley, Annemarie van der Meer, Hollandaise comme son nom l'indique, a ouvert dans les années 1980 son incroyable maison du xixe siècle aux touristes. Des livres, des poupées et des bibelots en tous genres recouvrent les murs. Chaque chambre est différente. La Yellow Room abrite un lit à baldaquin et la Blue Room une grande baignoire. À l'arrivée des beaux jours, le petit-déjeuner 100 % british – œufs, bacon, tomates, champignons et toasts – est servi dans le jardin. **Le plus:** le cottage dans le jardin est équipé d'une cuisine et d'une salle de bains. Il peut accueillir jusqu'à 5 personnes (£100 pour une personne, £175 pour cinq).

## 4 Highbury Terrace

4, Highbury Terrace, N5 1UP • **M° Highbury & Islington**

Tél. 020 7354 3210 • www.smoothhound.co.uk/hotels/4highbury.html

2 ch. • 🛏️👤👤 £56 • 🍽️

Dans ce quartier du Nord de Londres, un bed & breakfast installé dans une maison du xviiiᵉ siècle, décorée dans le pur style british. Avis aux fans de comédies à l'anglaise : quelques scènes de *Quatre Mariages et un Enterrement* y ont été tournées.

## 26 Hillgate Place

26, Hillgate Place, W8 7ST • **M° Notting Hill Gate**

Tél. 020 7727 7717 • www.26hillgateplace.co.uk

2 ch. • 🛏️👤👤 à partir de £80 (SdB dans le couloir) ou de £98 • 🍽️

Ancienne avocate reconvertie en peintre, Hilary Dunne a installé son atelier dans sa jolie maison colorée de Notting Hill. Il y a six ans, elle a transformé deux pièces de sa résidence en chambres d'hôtes qu'elle a agrémentées d'objets chinés lors de ses nombreux voyages en Inde, en Afrique et dans les Caraïbes. Une déco chaleureuse, à l'image de l'accueil, avec dans chaque chambre des fruits, un mini-bar et autres petites attentions. **Bon à savoir:** Hilary en connaît un rayon sur les bonnes adresses du quartier, puisqu'elle habite Notting Hill depuis 25 ans.

## Gate Hotel

6, Portobello Road, W11 3DG • **M° Notting Hill Gate**
Tél. 020 7221 0707 • www.gatehotel.co.uk
7 ch. • 🛏️ 🍴 de £60 à £70 • 🛏️ 🍴 🍴 de £80 à £100 • 🛏️ 🍴 🍴 de £105 à £125 • ⭕

Les inconditionnels du film *Coup de foudre à Notting Hill* seront enchantés par ce bed & breakfast de charme : il est situé à l'entrée du mythique marché de Portobello, non loin de la librairie de Hugh Grant. Identifiable grâce à sa jolie façade fleurie, cet établissement accueille des touristes depuis 1932. Qu'on se rassure, il a été rénové depuis, et l'on y trouve tout le confort moderne, même si les chambres sont un peu étriquées. La nouvelle propriétaire, Jasmine, a su conserver la clientèle grâce à son accueil chaleureux et, il faut le dire, la situation exceptionnelle de sa maison.

### Option chic et excellent rapport déco-accueil-prix

Situé à deux pas du marché de Portobello, The Main House, un charmant bed & breakfast est tenu par Caroline Main, une baroudeuse qui, au vu de sa décoration stylée et de ses meubles chinés, ne manque pas de goût. L'un de nos coups de cœur.

**THE MAIN HOUSE**
6, Colville Road, W11 2BP • **M° Notting Hill Gate**
Tél. 020 7221 9691 • www.themainhouse.co.uk
🛏️ 🍴 🍴 £110

## Shoreditch House

Ebor Street, E1 6AW • **M° Old Street**
Tél. 020 7739 5040 • www.shoreditchhouse.com
26 ch. • ⬛🛏♦♦ de £75 à £115

Cette ancienne biscuiterie est devenue l'un des spots les plus branchés de l'est londonien. Deux restaurants, une salle de gym, une piste de bowling, une piscine sur le toit et un club de membres où l'on croise du *people* à la pelle… Enfin, lorsqu'on a la chance d'y entrer. Bonne nouvelle : les 26 chambres, petites mais bien pensées, sont ouvertes à tous. À condition de s'y prendre à l'avance car la déco cosy chic, la literie de qualité et les prix abordables ont déjà séduit de nombreux *travellers*. Le bouche-à-oreille a fait le reste.

## Charlotte Guesthouse

195-197, Sumatra Road, NW6 1PF • **M° West Hampstead et Finchley Road**
Tél. 020 7794 6476 • www.charlotteguesthouse.co.uk
43 ch. • ⬛🛏♦♦ £55 • 💻

À quelques stations de métro du centre, ce bed & breakfast est installé dans l'un des quartiers résidentiels les plus chic de Londres. Certaines chambres possèdent leur salle de bains, d'autres non. Le petit-déjeuner, compris dans le prix de la chambre, est au choix : typiquement anglais (*baked beans*, saucisses, bacon et œufs) ou continental (croissant, fromage et jambon). Si le temps le permet, vous pourrez même le prendre sur la terrasse.

## Pour aller plus loin dans vos recherches

### www.athomeinlondon.co.uk

Maggie Dobson anime un réseau de 70 B & B tenus par des "vrais gens". Vous vous sentirez à tous les coups "chez vous", et vos hôtes auront aussi à cœur de vous faire découvrir le *London way of life*. Attention cependant aux contraintes : vous devez rester un certain nombre de jours, certains B & B n'acceptent pas les animaux... ni les enfants. Ils peuvent aussi pratiquer des tarifs intéressants pour ceux qui voyagent en famille ou qui séjournent plus d'une semaine.

### www.bestbandb.co.uk

PO Box 31655, W11 4WR • Tél. 020 7243 8720

Best Bed & Breakfast propose plus de 200 lits à Londres. Le catalogue (à commander sur Internet ou par courrier) recense tous les types d'hébergement (chambres doubles, simples, familiales, suites) dans tous les quartiers de Londres. On y trouve de véritables bijoux à des prix défiant toute concurrence. Les prix vont de £65 à £140 pour une chambre double, petit-déjeuner inclus.

### www.thebedandbreakfastclub.co.uk

Une très bonne sélection de B & B dans des quartiers chics à des prix moyens défiant la plupart des adresses médiocres de la ville. De £75 à £105 la nuit environ.

### www.londonbb.com

Les B & B de cette agence généralement très bien situés sont tenus par des personnes de goût qui pratiquent l'accueil tant pour arrondir leurs fins de mois que pour rencontrer des gens. Compter environ £50 par personne et par nuit, petit-déjeuner compris.

### www.happy-homes.com

Depuis plus de 15 ans, cette agence regroupe des B & B situés dans le centre de Londres et les quartiers du sud-ouest de la ville tels que Battersea et Hammersmith. À partir de £25 la nuit par personne.

# Louer un appartement

Une solution intéressante pour ceux qui voyagent avec des enfants ou en bande. Vous aurez l'impression de vivre comme un Londonien en visitant la ville à votre rythme… sans vous ruiner en restos !

## Citadines

7-21, Goswell Road, EC 1M 7AH • **M° Barbican**
Tél. 020 7566 8000 • www.citadines.com
129 appart. • Studio 2 pers. £68 à £123 • 2 pièces (4 pers.) de £99 à £178 • ⊊ £11
Les studios et les appartements de cette résidence Citadines à deux pas du centre culturel Barbican disposent de tout le confort moderne : cuisine équipée, chaînes câblées, accès gratuit à Internet, chaîne hi-fi, lecteur DVD et réception ouverte 24h/24. Ceux qui ont envie de faire "comme à l'hôtel" paieront le supplément pour le ménage quotidien, le pressing ou encore le petit-déjeuner. **Le plus :** les prix dégriffés pendant le week-end.

## The Mayflower Hotel

26-28, Trebovir Road, SW5 9NJ • **M° Earl's Court**
Tél. 020 7370 0991 • www.mayflowerhotel.co.uk
30 appart. • Studio 2 pers. £99 • 2 pièces (2 pers.) £145 • 3 pièces (4 pers.) £175
La classe ! Situés dans différents bâtiments, ces appartements entièrement équipés ont chacun une décoration différente. Les matériaux utilisés – acier, bois et marbre – leur confèrent une ambiance cosy et élégante. La réception se trouve quant à elle dans le Mayflower Hotel, où l'on peut siroter un jus au Juice Bar. **Bon à savoir :** l'hôtel lui-même dispose de 48 chambres avec un bon rapport qualité-prix (à partir de £100 la chambre double).

## Astons Apartments

31, Rosary Gardens, SW7 4NH • **M° Gloucester Road**
Tél. 020 7590 6000 • www.astons-apartments.com
54 appart. • Studio 1 pers. £74, 2 pers. £109 • Appart. 3 pers. £141 • Appart. 4 pers. £187
Ces appartements sont situés dans le quartier chic des expatriés français, à South Kensington. On peut se rendre à pied au Victoria & Albert Museum, au Natural History Museum et même à Hyde Park. Clairs et bien aménagés, les appartements disposent d'une salle de bains et d'une kitchenette. Les clients apprécient également le service de conciergerie et de ménage quotidien. **Le plus:** les tarifs à la semaine, minorés de 5 %.

## Georgian House London Apartments

35-39, St George's Drive, SW1V 4DG • **M° Victoria**
Tél. 020 7834 1438 • www.georgianhousehotel.co.uk
2 appart. • 1 pers. £99 • 2 pers. £129 • 3 pers. £139 • 4 pers. £149
Typique de ce quartier, le bâtiment classé est resté dans la même famille depuis sa construction en 1851. C'est une descendante directe de l'architecte, William Chinnery Mitchell, qui tient aujourd'hui les rênes de ce charmant hôtel british et cosy. Elle propose également deux appartements en location, l'un au rez-de-chaussée et l'autre au 1$^{er}$ étage. La décoration est classique mais soignée, et on y trouve tout le confort nécessaire à un court ou un long séjour – télévision, lecteur DVD, cuisine. **Le plus:** les 56 chambres de l'hôtel (de £30 à £199, petit-déjeuner compris).

## Elizabeth Hotel

37, Eccleston Square, SW1V 1PB • **M° Victoria**
Tél. 020 7828 6812 • www.elizabethhotel.com
Studio £169 • 2 pièces £259 • ⊡
Dans le même quartier, mais un peu plus luxueux, cet établissement propose, en plus de ses 37 chambres coquettes, 5 appartements au style victorien. Les deux pièces et studios, situés au dernier étage et équipés tout confort, peuvent accueillir jusqu'à quatre personnes.

**Pour aller plus loin dans vos recherches**

### www.welcomehomes.co.uk

Idéal pour tous les budgets : une sélection d'appartements et des hôtels et bed & breakfasts situés dans divers quartiers de Londres, mais toujours à proximité d'une station de métro. À partir de £18 par nuit par personne. Attention, certaines ne comprennent pas les draps et les serviettes : renseignez-vous avant le départ !

### www.homelidays.com

Ce site Internet met en relation des particuliers souhaitant louer leur appartement à des touristes. Les descriptifs sont assez détaillés pour éviter la déconvenue à l'arrivée. Le choix est large : du studio à la résidence familiale, pour une durée plus ou moins longue. Les prix débutent à £47 la nuit. Le site propose également des chambres d'hôtes, à partir de £16 par nuit par personne.

## Échanger son appartement

Cette pratique, en plein développement en France, reste sans conteste la solution la plus économique puisqu'elle ne coûte… rien ! Sur place, vous économiserez aussi le budget des restos. L'échange d'appartements fonctionne sur la confiance mutuelle. Il est important d'être le plus précis possible dans l'annonce et de mettre le maximum de photos afin d'éviter toute déconvenue.

### www.homelink.org

Ce site, l'un des leaders dans le domaine, propose différentes formules d'échange : de l'échange classique à l'accueil d'étudiant, en passant par le *homesit* (garder une maison en échange d'un hébergement gratuit). Il faut compter 125 € par an pour que votre annonce soit mise en ligne et publiée dans le catalogue papier. L'idée est d'indiquer toutes ses futures destinations et dates pour en profiter toute une année.

## www.homexchangevacation.com

Sur ce site de mise en relation de particuliers, on ne voit les résidences des autres membres qu'à condition d'être membre soi-même.
Deux systèmes d'inscription : le *basic membership* (gratuit) permet
d'inscrire sa maison et de recevoir des mails des autres membres, et
le *full membership* (22 € par trimestre) permet, en plus, de contacter
les membres, de mettre régulièrement à jour son profil et de recevoir
des alertes sur les locations qui vous intéressent.

## www.trocmaison.com

Avec 18 000 membres dans 110 pays, ce site international, l'un des
plus vastes dans le domaine, propose deux solutions : mettre son
annonce en ligne (79 € pour un an) ou proposer directement des
échanges aux membres du site sans héberger son annonce (39 €
par an). **Bon à savoir :** si aucun échange n'a été réalisé la première
année, la seconde année d'abonnement est offerte.

# Se la jouer étudiant
# dans une résidence universitaire

Pendant l'été, les résidences universitaires ouvrent leurs portes au
public. C'est la solution idéale, tant au niveau du prix, de la situation
géographique que de la propreté des lieux, pour ceux qui cherchent
une chambre simple ou double avec salle de bains privée.

## Northumberland House

8, Northumberland Avenue, WC2N 5BY • **M° Embankment**
Tél. 020 7107 5600 • www.lsevacations.co.uk
255 ch. • 🛏 ♦ £59 • 🛏 ♦ £79
Ouvert au public de fin juin à fin septembre

Dernière annexe de la London School of Economics, le bâtiment
classé de cette résidence universitaire n'a rien à envier aux sept
autres adresses de l'université (à Holborn, Regent's Park, Southwark
ou encore Euston Square). Les chambres sont propres et claires, tout

comme les parties communes, dont la kitchenette équipée pour dîner sur place. Enfin, l'emplacement permet de rejoindre à pied Trafalgar Square, Leicester Square et les berges de la Tamise.

## International Student's House

229, Great Portland Street, W1W 5PN • **M° Great Portland Street**
Tél. 020 7631 8310 • www.ish.org.uk
£53 (SdB dans le couloir) ou £58 •

Ouverte depuis 1965, cette "maison des étudiants" se distingue par ses services : une salle de gym (payante), un restaurant, un bar, une laverie ou encore une agence de voyage. L'avantage : elle est ouverte toute l'année. Mieux vaut réserver à l'avance.

## Queen Mary

University of London, Mile End Road, E1 4NS • **M° Mile End**
Tél. 020 7882 8174 • www.qmul.ac.uk
à partir de £57 • • Ouvert de mi-juin à mi-septembre

Un peu plus excentrée à l'est, la résidence de l'University of London est aussi meilleur marché. Surtout si l'on réserve sur Internet : les tarifs sont alors inférieurs de £4-5.

## Imperial College

46, Prince's Gardens, SW7 2PE • **M° South Kensington**
Tél. 020 7594 9507/11 • www.imperial.ac.uk
270 ch. • £34 (SdB dans le couloir) • £49 (SdB dans le couloir) •
Ouvert au public de fin juin à fin septembre

La vie universitaire version BCBG : on est à deux pas du Victoria & Albert Museum, du Natural History Museum, près du quartier chic des expatriés français... et assez loin de la résidence universitaire façon *American Pie* ! Sont proposés : des chambres simples ou doubles dont certaines ont vue sur un charmant square, un service de ménage quotidien, des produits d'accueil à l'arrivée et un petit-déjeuner anglais. Pour les sportifs, la salle de gym Ethos concomitante appartient au même complexe – mais est payante. D'autres bâtiments sont situés à South Kensington et à Notting Hill.

## King's College

Strand Bridge House, 138-142, Strand, 3ᵉ étage, WC2R 1HH • **Mᵒ Temple**

Tél. 020 7848 1700 • www.kcl.ac.uk/kcvb

2300 ch. • 🛏 🚹 de £21 à £40 (SdB dans le couloir) • 🛏 🚹 de £45 à £60 (SdB dans le couloir) • Studio 1 pers. de £33 à £40 ; 2 pers. de £53 à £58 • 💻 (sauf pour studio)

Ouvert au public de fin juin à mi-septembre

Pour ceux qui ont toujours rêvé de connaître les joies des campus universitaires, le King's College loue durant l'été ses chambres au public. Il faut passer par le service de réservation qui centralise les demandes pour les quatre sites du campus. Il ne reste plus qu'à choisir entre les chambres d'étudiants du quartier huppé de Hampstead (Mᵒ Finchley Road) ou celles du King's College Hall (Mᵒ Brixton) qui proposent une formule bed & breakfast. Ou bien les appartements de Stamford Street (Mᵒ Waterloo) et de Great Dover Street (Mᵒ Borough), équipés d'une douche et d'une kitchenette. De quoi jouer les étudiants le temps d'un été…

# Auberges de jeunesse : la cure de jouvence !

Bien qu'elle soit privilégiée par les jeunes, cette solution reste ouverte à tous. Les avantages ? Le large choix, du dortoir mixte à la chambre double, aucune condition d'âge pour y accéder, pas de restrictions au niveau des horaires et, la plupart du temps, aucune carte n'est nécessaire. Au cas où l'idée de partager votre chambre avec des inconnus vous rebuterait, cette formule peut se révéler intéressante si vous partez en groupe, l'idéal étant d'opter pour une grande chambre avec salle de bains privée… pour éviter les files d'attente devant la douche le matin ! Sauf mention contraire, les prix des chambres multiples sont indiqués par personne.

## Astor Quest Hostel

45, Queensborough Terrace, W2 3SY • **M° Bayswater et Queensway**

Tél. 020 7229 7782 • www.astorhostels.co.uk

99 lits • Dortoir 9 et 8 lits (SdB dans le couloir) à partir de £16 ; 6 lits £18 ; 4 lits £20

🛏♦ et 🛏♦ £60 (SdB dans le couloir) • 🛏♦♦♦ £19 • 🖵

À quelques minutes à pied de Notting Hill, cette auberge de jeunesse propose dortoirs et chambres doubles à des prix pensés pour les étudiants et accessibles à tous. **Bon à savoir:** les prix sont plus élevés pour les nuits des vendredis et samedis.

## YHA Hostels

79-81, Euston Road, NW1 2QE • **M° King's Cross St Pancras et Euston**

Tél. 020 7388 9998 • www.yha.org.uk

184 lits • Chambre 6 lits, £166.95 ; 5 lits, £138.95 ; 4 lits, £110.95 ;
3 lits, £73.50 ; 2 lits, £49 (les prix sont pour la chambre entière)

🛏♦♦ £60.95 (SdB dans le couloir) ou £62.95 • 🖵

Ultrapratique pour ceux qui voyagent en Eurostar, cet établissement est situé en face de la gare de St Pancras. Même si le hall d'entrée ressemble à celui d'un hôtel, on est bien dans une auberge de jeunesse avec des chambres économes sur la déco, mais généreuses dans leurs tarifs. À la réception, on trouve des informations sur les activités à petits prix : des tours de la ville, une journée dans la campagne anglaise ou encore des tickets à tarifs réduits pour les grandes attractions. Pour avoir accès à cette auberge de jeunesse, il faut acquérir la carte YHA (de £9.95 à £25.50 l'année) ou s'acquitter du supplément de £3 par nuit. Cinq autres établissements dans le centre de Londres.

## St Christopher's – The Village

161-165, Borough High Street, SE1 1HR • **M° London Bridge**

Tél. 020 7407 1856 • www.st-christophers.co.uk

184 lits • Dortoir 10 à 14 lits £18 ; 8 lits £19 ; 6 lits £20 ; 4 lits £21.50

🛏♦ et 🛏♦♦ £60 (SdB dans le couloir) • 🖵

St Christopher's Inns est une chaîne d'auberges de jeunesse où l'accueil est chaleureux, les prix imbattables et l'ambiance souvent plus que sympa. Avec trois buildings situés sur Borough High Street et des annexes à Greenwich, Shepherd's Bush, Camden et Hammersmith, on est sûr de trouver une chambre. Différentes formules (du dortoir à la chambre double) sont assorties de plusieurs services (Internet en accès Wifi gratuit, prêt de DVD) et activités. Le samedi, c'est barbecue à volonté (*"all you can eat"* à £3) ; le vendredi, l'équipe emmène les clients faire la tournée des pubs (£1) ; et le dimanche, c'est soirée cinéma, sans oublier la boîte de nuit, le karaoké et le café-théâtre. Pour se remettre, on se prélasse dans le jacuzzi et le sauna installé sur le toit. **Bon à savoir:** tarifs promotionnels sur le site Internet, et les prix sont majorés de £3 les vendredis et samedis.

## Piccadilly Backpackers

12, Sherwood Street, W1F 7BR • **M° Piccadilly Circus**
Tél. 020 7434 9009 • www.piccadillybackpackers.com
700 lits • Dortoir (SdB dans le couloir) 8 à 10 lits, de £12 à £16 ; 6 lits et 4 lits, de £21 à
£25 • 🛏️ et 🛏️ ♦ £68 à £76 (SdB dans le couloir)
Un hébergement à ce prix-là, juste derrière Piccadilly Circus, il n'y en a pas d'autres. Si cette auberge de jeunesse propose plusieurs solutions de couchage qui attirent quelques familles, la grande majorité des clients sont des étudiants. Pour des nuits arty et design, il faut demander les chambres du 3e étage, inaugurées en 2007 et décorées par une vingtaine de jeunes artistes. **Bon à savoir:** en réservant sur Internet, on économise £1… et les nuits des vendredis et samedis sont £3 plus chères.

## Meininger in Baden-Powell House

65-67, Queen's Gate, SW7 5JS • **M° South Kensington**
Tél. 020 3051 8173 • www.meininger-hostels.com
200 lits • Dortoir 4 lits, £27 ; 5-6 lits, £25 ; 7-12 lits, à partir de £21
🛏️ £69 • 🛏️ ♦ £90 • 🛏️ ♦ ♦ £99 • 🖵
Partenaire de la Scout Association, cette auberge est le repaire des louveteaux et de leurs familles qui cherchent un bon rapport qualité-prix, à deux pas du Natural History Museum. Les chambres sont toutes équipées d'une salle de bains privative, d'une télévision et de l'air conditionné. Pour se détendre, une salle de jeu avec ping-pong et consoles vidéo est à disposition. Des vélos sont à louer et tous

les jours à 10h15, une visite guidée gratuite de la ville durant 3h30 est proposée. **Bon à savoir:** 10 % de réduction sont accordés aux réservations sur Internet, et si l'on a déjà réservé trois nuits, celle du dimanche est bradée à 50 %.

## Palmers Lodge

40, College Crescent, NW3 5LB • **M° Swiss Cottage**
Tél. 020 7483 8470 • www.palmerslodge.co.uk
260 lits • Dortoir (SdB dans le couloir) 4 à 28 lits, de £17 à £23.50
🛏 ♦ ♦ de £50 à £65 (SdB dans le couloir) ou de £55 à £75 • 💻

Cette auberge de jeunesse a pris ses quartiers dans une grande maison victorienne en brique rouge du XIX$^e$ siècle récemment rénovée, dans le quartier huppé de Swiss Cottage, au nord de Londres. Autrefois un hôpital, le bâtiment accueille aujourd'hui les voyageurs qui cherchent un hébergement aussi économique que possible. Les parties communes ont été décorées avec soin, à l'instar du restaurant, du bar ainsi que l'espace Internet (en libre accès), la salle de télévision et la laverie. Les dortoirs sont relativement spacieux, avec de grandes fenêtres et des rideaux à chaque lit. Pensés pour les couples, certains lits dans les dortoirs sont doubles. Comme c'est souvent le cas, la réservation sur Internet est moins chère.

## Ace Hotel

16-22, Gunterstone Road, W14 9BU • **M° West Kensington**
Tél. 020 7602 6600 • www.ace-hotel.co.uk
154 lits • Dortoir (SdB dans le couloir) 8 lits à partir de £18 ; 6 lits, £20 ; 4 lits, £21.50 ;
2 lits, £22 • Dortoir (avec SdB) 6 lits à partir de £23.50 ; 4 lits, £25 ; 3 lits, £26.50 ; 2 lits,
£25 • 🛏 ♦ ♦ £56.50 à £99 • 💻

L'Ace Hotel présente le double avantage d'être situé dans un environnement résidentiel très calme et huppé et de se trouver à trois stations de métro de South Kensington. Les chambres sont réparties dans quatre buildings victoriens, et certaines donnent sur un joli jardin dans lequel on peut boire un verre. Les clients ont accès au sauna, à la salle Internet et à la salle de jeux. En cas d'oubli de shampoing ou de serviette, pas de panique : tout est en vente à la réception.

# Camping attitude

Le camping reste une solution idéale pour les amoureux de la nature, les familles nombreuses et ceux qui souhaitent séjourner à Londres avec leur animal de compagnie (interdits dans la majorité des hôtels).

### Abbey Wood Caravan Club Site
Federation Road, Abbey Wood, SE2 0LS • **M° Abbey Wood**
Tél. 020 8311 7708 • www.caravanclub.co.uk
Terrain de £4.70 à £7.55 • Adultes £4.50 à £6 • Enfants (5 à 16 ans) £1.50 à £2.45
Le camping d'Abbey Wood, situé près de Greenwich, est réputé pour sa verdure, ses emplacements spacieux et sa situation géographique, proche d'une station de métro qui permet de rejoindre le centre de Londres en 35 minutes. À proximité, une aire de jeux pour les enfants, quelques jolies randonnées et des pistes cyclables. Les non-membres doivent ajouter £6 (£7 en haute saison) à leur note. **Bon à savoir:** une réduction de 50 % est accordée sur le prix du terrain du lundi au jeudi.

### Crystal Palace
Crystal Palace Parade, SE19 1UF • Tél. 020 8778 7155 • **M° Crystal Palace**
www.caravanclub.co.uk
Terrain £4.70 à £7.55 • Adultes £4.50 à £6 • Enfants (5 à 16 ans) £1.50 à £2.45
Appartenant à la même chaîne et affichant les mêmes services et prix que l'Abbey Wood Caravan Club Site, ce camping se situe néanmoins plus au sud. Le bus n° 3 est direct pour Piccadilly Circus (environ cinquante minutes).

## The Elms Caravan and Camping Park

Lippitts Hill, High Beach, Loughton, IG10 4AW • **M° Loughton**

Tél. 020 8502 5652 • www.theelmscampsite.co.uk

Terrain pour caravane et 2 pers. £17.25 • Terrain pour tente et 2 pers. £14

Ouvert du 1er mars au 31 octobre

Dans ce camping, les clients ont le choix. On peut arriver avec son camping-car ou sa tente puis louer un emplacement. Pour ceux qui préfèrent venir en avion ou en train, The Elms Caravan propose des tentes à la location (£175 les 7 jours), des caravanes équipées (à partir de £190 les trois nuits pour 4 personnes) ou encore des cottages et des studios tout confort (à partir de £235 les trois nuits pour 4 personnes). Vous trouverez un supermarché sur place. La station de métro la plus proche, Loughton – située à 5 km, tout de même –, conduit directement à Oxford Circus, Bank et Notting Hill, *via* la Central Line.

## Lee Valley Camping & Caravan Park

Meridian Way, Edmonton, N9 0AR • **M° Walthamstow Central**

Tél. 020 8803 6900 • www.leevalleypark.org.uk

Terrain pour tente ou caravane £2.90 • Adultes £7.10

Fermé du 21 décembre au 8 janvier

Un parcours de golf 18 trous, un grand cinéma, un supermarché, des restaurants, de grands espaces verts dont l'Epping Forest et le River Lee Country Park, une aire de jeux pour les enfants… on pourrait presque passer le week-end sur place! Pourtant, pour se rendre au centre de Londres, il suffit d'emprunter la Victoria Line qui conduit au centre-ville en 40 minutes Dans le même complexe, on trouve également des chalets à louer et une auberge de jeunesse.

# MANGER

**M**ême si la cuisine anglaise n'a pas toujours eu très bonne réputation, Londres a su s'imposer comme l'une des capitales de la gastronomie, par son ouverture sur le monde. Ici, on mange aussi bien le traditionnel fish & chips que de la cuisine italienne, chinoise, indienne, grecque ou encore thaïlandaise... Bienvenue dans le tour du monde des spécialités culinaires, sans quitter Londres !

## À savoir

• Lors de la réservation, préférable la semaine et indispensable le week-end, les restaurants cotés demandent souvent un numéro de carte bleue pour bloquer la table.
• Le pourboire n'est presque jamais compris dans les prix indiqués, même s'il est souvent suggéré *(discretionary service)*. Il faut laisser au moins 12,5 %, voire plus. On peut refuser de payer le service, mais mieux vaut donner une raison...

### Restaurants en chaîne

Les Londoniens commencent leur journée avec un café latte chez Starbucks, déjeunent chez Pret a Manger (voir p. 54), goûtent d'un bagel chocolat chez Bagel Factory et dînent chez Pizza Express (voir p. 68). Ces chaînes sont faciles à trouver : elles sont quasiment à chaque coin de rue ! Même les restaurants plus modestes, dès qu'ils rencontrent du succès, ouvrent des annexes. Il est donc rare de trouver un établissement où le patron est en cuisine. Au contraire de la France où les chaînes ont mauvaise réputation, les Anglais en sont friands, particulièrement ceux qui ont un petit budget. Étant donné la multitude d'offres, ils sont devenus par contre assez exigeants, ce qui conduit les chaînes à rivaliser d'ingéniosité pour les attirer. Au déjeuner, par exemple, les Londoniens, qui se contentent souvent d'un sandwich en marchant, ont vu le classique jambon-fromage remplacé par des courgettes grillées, du saumon rôti ou bien de l'hoummous. Résultat : déjeuner sur le pouce peut se révéler une expérience gustative intéressante !

# Sandwichs, bagels, pies et autres take-away

## Brick Lane Beigel Bakery

159, Brick Lane, E1 6SB • **M° Bethnal Green** • Tél. 020 7729 0616
Ouvert 24h/24, 7j/7
Bagels, £0.18 à £1.40 ; desserts, £0.30 à £0.70

Selon l'heure de la journée, on croise dans cette institution de l'Est londonien des chauffeurs de taxis, des noctambules, des familles ou bien les branchés du coin. Après avoir bravé la file d'attente (à toute heure du jour et de la nuit), on choisit son *beigel* (on dit comme ça, ici) nature, au pavot, au sésame ou aux oignons et l'accompagnement : saumon et *cream cheese*, thon-mayonnaise, bœuf salé... Et si vous souhaitez terminer sur une note sucrée, goûtez l'*apple strudel*, le cheesecake ou le national choco-fudge. Les impatients se régaleront juste devant, sur Brick Lane, la grande artère où pullulent les restaurants indiens.

## Fuzzy's Grub

62, Fleet Street, EC4Y 1JU • **M° Blackfriars** • Tél. 020 7583 6060
Ouvert du lundi au vendredi de 7h30 à 15h30
Sandwichs, £3.85 à £4.95 ; salades, £3.85 à £5.95 ; tartes, £5.50

Pour les envies soudaines de bœuf, de porc ou d'agneau rôti, les Anglais viennent se ravitailler ici. Les sandwichs sont préparés à la commande, avec découpe de la viande rôtie très juteuse sous les yeux des clients affamés ! Elle est généralement accompagnée de pommes de terre et de légumes, également rôtis, ainsi que du traditionnel *yorkshire pudding*. Pour les végétariens, les sandwichs au cheddar, le *salad bar* et la sélection de *pies* du jour figurent également au menu de ce *take-away* très british.

# EAT

39, Villiers Street, WC2N 6NJ • **M° Charing Cross et Embankment**
Tél. 020 7839 2282 • Autres adresses sur www.eat.co.uk
Ouvert du lundi au samedi de 7h à 18h
Sandwichs, £1.40 à £3.30

Cette chaîne de snacks a fait des petits dans toute la ville. Les sandwichs sont proposés sous différentes formes : pain de mie, baguette,
wrap, toast avec une sélection hebdomadaire. On les accompagne
d'une soupe – plusieurs au choix chaque jour –, d'une tarte – une
quinzaine au menu – ou d'une salade – petite ou grande. Si le petit-
déjeuner n'est pas compris dans le forfait de votre hôtel, vous pouvez également venir y manger des *eggs benedict*, un muffin ou une
saucisse pour bien commencer la journée.

# Pret a Manger

7-8, St Martin's Place, WC2N 4JH • **M° Leicester Square**
Tél. 020 7932 5345 • Autres adresses sur www.pret.com
Ouvert du lundi au jeudi de 7h30 à 20h, le vendredi jusqu'à 21h et le week-end à partir
de 9h
Sandwichs, £1.30 à £3.25 ; salades, £2.80 à £3.99 ; desserts, £1.60 à £2.99

Le déjeuner des Londoniens ressemble plus à un marathon qu'à un
moment d'épicurisme ! Pret a Manger est l'une des meilleures chaînes
de sandwichs à Londres. Le débit y est si important que les produits
proposés à la vente sont toujours frais. Au menu : salade niçoise, wrap
au falafel épicé, pain de mie avec du hoummous ou encore muffin
orange-citron assortis d'une sélection hebdomadaire de sandwichs et
de soupes. Du fast-food haut de gamme, mais pas ruineux.

## The Table

83, Southwark Street, SE1 0HX • **M° London Bridge et Southwark**

Tél. 020 7401 2760 • www.thetablecafe.com

Ouvert du lundi au mercredi de 7h30 à 17h, les jeudi et vendredi jusqu'à 22h30
et le samedi, pour le brunch, de 9h à 16h

Tartes, £3 à £7 ; hamburgers, £6.85 à £8.95 ; grillades, £4.95 à £6.85 ; sandwichs, £2.50 à £3.95

À deux pas de la Tate Modern, ce café-snack affiche une carte "fait maison" qui change quotidiennement et se déguste sur de grandes tables d'hôtes en bois, voire, si le temps le permet, sur la jolie terrasse. Au menu : tartes, pain bio, grillades (saumon, truite, mouton, légumes, etc.), sandwichs et un *salad bar* en self-service. **À ne pas manquer :** le hamburger végétarien à base de champignons et d'aubergines, ainsi que le café qui vient du Monmouth Coffee, une référence en Angleterre.

## Riverside Terrace Café

Royal Festival Hall, 2e étage, Southbank Centre, Belvedere Road, SE1 8XX

**M° Waterloo** • Tél. 020 7620 0426 • www.southbankcentre.co.uk

Ouvert tous les jours de 10h à 22h30

Sandwichs, £3 à £4.50 ; salades, £5 ; desserts, £1.50 à £3

Situé au deuxième étage du Royal Festival Hall, récemment rénové, ce café-snack est très apprécié. Ici, on a remplacé les ingrédients classiques des sandwichs par des courgettes grillées, du brie de Meaux ou du saumon rôti, assortis d'un beau choix de salades et de plats chauds à déguster en terrasse ou face aux grandes baies vitrées avec vue sur la Tamise. En cas de creux avant ou après le spectacle, popcorn, chips et cacahuètes sont également en vente.

### Les délices du marché

Borough Market est devenu l'un des endroits incontournables de la capitale, surtout depuis que l'on sait que Jamie Oliver, le chef qui fait craquer toutes les Anglaises, y a ses habitudes. Au programme : bouchers, primeurs, fleuristes, poissonniers… sans oublier des snacks faits maison pour les petits creux et les grandes faims. Parmi les nombreux stands plus alléchants les uns que les autres, ne manquez pas Pieminister qui a modernisé la mythique tarte anglaise, et les pains bio de Flour Power City Bakery. Tout est beau, tout sent bon, tout est délicieux. À ne rater sous aucun prétexte !

**BOROUGH MARKET**
**8, Southwark Street, SE1 1TL • M° London Bridge**
**Tél. 020 7407 1002 • www.boroughmarket.org.uk**
**Ouvert le jeudi de 11h à 17h, le vendredi de 12h à 18h**
**et le samedi de 9h à 16h**

# British style, et rien d'autre !

## The Breakfast Club

31, Camden Passage, N1 8EA • M° Angel • Tél. 020 7226 5454
Ouvert du lundi au vendredi de 8h à 22h, le week-end à partir de 9h30
Petit-déjeuner £3.50 à £9

C'est dans une jolie rue réputée pour ses magasins d'antiquités que l'on trouve cette adresse. On peut y boire un verre le soir, même si le meilleur moment reste le petit-déjeuner où l'on sert des *eggs benedict*, des pancakes, du porridge et un délicieux smoothie, à déguster face au pêle-mêle dédié aux chanteurs des années 1980. Rétro à souhait.

## Abécédaire de la cuisine anglaise

**Coleslaw :** salade de chou cru.

**English breakfast :** petit-déjeuner anglais typique avec bacon, œufs, saucisses et haricots blancs.

**Fish & chips :** poisson pané (le plus souvent de la morue ou du haddock) accompagné de frites.

**Jacket potato :** pomme de terre au four farcie de crème, de thon ou encore de fromage.

**Jelly :** gelée – un dessert typique à base de gélatine.

**Gravy :** sauce à base de jus de viande ou de légumes.

**Porridge :** céréales (souvent des flocons d'avoine) bouillies dans de l'eau ou du lait.

**Pie :** tourte.

**Sausages and mash :** saucisses accompagnées d'une purée de pommes de terre.

**Scone :** petit pain à déguster à l'heure du thé avec de la crème fraîche épaisse et de la confiture.

**Sunday roast :** repas traditionnel du dimanche, composé de gigot, de Yorkshire Pudding (crêpe épaisse), de légumes et de gravy.

## Stockpot

18, Old Compton Street, W1D 4JL • **M° Leicester Square** • Tél. 020 7287 1066
Ouvert les lundi, mardi et dimanche de 9h à 23h et du mercredi au samedi jusqu'à minuit
Entrées, £1.30 à £3.30 ; plats, £4.50 à £7.85 ; desserts, £1.85 à £2.65

Dans le quartier de Soho envahi par les chaînes, Stockpot fait de la résistance ! Sa carte variée, qui change quotidiennement, propose des œufs mayonnaise, du bœuf Stroganoff, du fish cake, des salades, des pancakes, du pudding et des crumbles. En plus des petits prix de la carte, deux menus au choix avec plats du jour à £6.50… Même chez McDo, vous ne trouverez pas des tarifs aussi bas !

## Happy hour gastronomique

Le restaurant Little Bay est réputé pour son bon rapport qualité-prix et son happy hour... sur les plats ! De 12h à 19h, les entrées et les desserts sont soldés à £2.25 et les plats à £6.45. Aucune raison donc de se priver des moules à l'anglaise, des brochettes de porc grillé, des pancakes épinard-mozzarella ou des profiteroles à la crème de banane. Le décor est une curiosité en soi, avec ses tentures satinées au plafond, ses sièges rouges et dorés et ses reproductions de tableaux Renaissance. Du kitsch à peu de frais.

**LITTLE BAY**

**171, Farringdon Road, EC1R 3AL • M° Farringdon**

**Tél. 020 7278 1234 • Autres adresses sur www.little-bay.co.uk**

**Ouvert du lundi au samedi de 12h à minuit et le dimanche jusqu'à 23h**

**Entrées, £3.25 ; plats, £7.45 ; desserts, £3.25**

## Canteen – Spitalfields

2, Crispin Place, E1 6DW • **M° Liverpool Street** • Tél. 084 5686 1122

www.canteen.co.uk

Ouvert du lundi au vendredi de 8h à 23h, le week-end à partir de 9h

Entrées, £5 à £8.75 ; plats, £8.50 à £12.75 ; desserts, £6

À deux pas de S & M (voir ci-contre), mais un peu plus cher, ce restaurant propose une cuisine anglaise remise au goût du jour dont raffolent les bobos du quartier. Il est quasi impossible de trouver un coin de table (d'hôtes) où s'installer le week-end.

## S & M Café

48, Brushfield Street, E1 6AA • **M° Liverpool Street**
Tél. 020 7247 2252 • www.sandmcafe.co.uk
Ouvert du lundi au vendredi de 7h30 à 22h30, le week-end à partir de 8h
Entrées, £2.95 à £3.95 ; plats, £7.25 à £8.95 ; desserts, £1.95 à £3.75

À deux pas du marché de Spitalfields, voici une adresse qui rassurera ceux qui se demandaient si manger typiquement anglais à Londres était possible. Chez S & M *(Sausage & Mash)*, on sert encore le petit-déjeuner traditionnel avec œufs, saucisse, bacon, tomate grillée, champignons, haricots et toasts. On peut aussi venir déjeuner ou dîner : une saucisse (dix variétés au choix, dont deux végétariennes) et de la purée (quatre au choix), accompagnées de *Heinz baked beans* (haricots au ketchup), à rehausser avec de la sauce Worcester (condiment piquant) ou de la moutarde Colman's. *So British.*

## Square Pie

Spitalfields Market, 105c, Commercial Street, E1 6BG • **M° Liverpool Street**
Tél. 0207 3750 327 • www.squarepie.com
Ouvert du lundi au samedi de 10h30 à 16h30 et le dimanche jusqu'à 17h30
Tourtes, £3.50 à £4.50 ; accompagnements, £1.25 à £1.95 ; desserts, £0.75 à £2.99

La cuisine anglaise traditionnelle revient à la mode : désormais rien de plus branché que de déjeuner d'une *pie* accompagnée de *mushed peas* et arrosée de sauce *gravy* (voir encadré p. 57). Square Pie l'a bien compris et propose chaque jour une sélection de tourtes carrées (steak et bière irlandaise Guinness, agneau et romarin, viande hachée et oignon) servies avec de la purée, des légumes et de la sauce. **Le plus :** dans cette annexe de l'Est londonien, on peut s'attabler dehors, face au va-et-vient du marché de Spitalfields.

## Books for Cooks

4, Blenheim Crescent, W11 1NN • **M° Notting Hill Gate**

Tél. 020 7221 1992 • www.booksforcooks.com

Librairie ouverte du mardi au samedi de 10h à 18h, service à partir de 12h

Menu 2 plats, £5 ; menu 3 plats, £7

À première vue, ce n'est qu'une librairie consacrée à la gastronomie.
Mais en poussant la porte, on découvre au fond quelques tables
– souvent prises d'assaut – installées devant une cuisine. Ici, on aime
tester les recettes des livres de cuisine que l'on vend. Chaque jour,
un menu différent est affiché sur les ardoises. Prix serrés garantis.
Le service commence à midi et se termine quand la cuisine est vide !
Pour les fans, la librairie de Hugh Grant dans *Coup de foudre à Notting Hill*, The Travel Bookshop, est située juste en face.

## Open Kitchen

40 Hoxton Street, N1 6LR • **M° Old Street**

Tél. 020 7613 9590 • www.openkitchen.biz

Ouvert du lundi au mercredi de 10h à 14h, jeudi et vendredi aussi de 18h à 23h

Entrées, £3.50 ; plats, £6 ; desserts, £3

La journée à l'école de cuisine, le soir aux fourneaux et en salle. Les
chefs en devenir perfectionnent dans ce restaurant leurs talents
de cordon bleu. Depuis la grande salle claire et colorée, on peut les
observer travailler, sous l'œil rigoureux d'un chef professionnel. On
nous demande de l'indulgence, pourtant elle n'est pas nécessaire.
Les produits sont frais, les plats très corrects, surtout à ces prix-là.
Lorsque le temps le permet, on peut même manger sur la terrasse,
avec vue sur un jardin. Un très bon plan.

## Albion

2-4 Boundary Street, E2 7DD • **M° Old Street et Liverpool Street**

Tél. 020 7729 1051 • www.albioncaff.co.uk

Ouvert tous les jours de 8h à 23h30

Plats, £4.75 à £13.50 ; desserts, £5 à £7

C'est (encore) une réussite signée Terence Conran, fondateur de
Habitat et de Conran Shop. Ce café-restaurant est installé dans The

Boundary, l'hôtel design que le manitou de la déco a ouvert dans ce coin de l'Est qui s'embourgeoise. Pour goûter au style Conran sans se ruiner (les chambres sont entre £140 et £400…), Albion est une bonne option. Autant pour petit-déjeuner d'un scone (£0.80) ou de porridge (£5.50), que pour déjeuner ou dîner de la cuisine british traditionnelle, comme le savoureux fish & chips (£9.75). Et pour un endroit où il faut voir et être vu, les prix restent raisonnables.

## En quête d'un vrai fish & chips

Généralement emballé dans le journal de la veille, ce plat composé de poisson pané et de frites est à l'Angleterre ce que le kebab est à la Turquie. Les Anglais sont toujours fans de ce plat rendu populaire par les classes ouvrières au xixe siècle. Il est cependant difficile de trouver une adresse traditionnelle, d'autant que la plupart des restaurants qui vendent des fish & chips proposent également des pizzas, des plats chinois et… des kebabs ! Pour goûter cette spécialité nationale riche et nourrissante, tout aussi incontournable que Big Ben et les bus à deux étages, voici une sélection de quelques adresses servant encore de véritables fish & chips.

## Golden Hind

3, Marylebone Lane, W1U 2PN • **M° Bond Street** • Tél. 020 7486 3644
Ouvert du lundi au vendredi de 12h à 15h et de 18h à 22h, le samedi de 18h à 22h
Fish & chips à partir de £5.20

Dans ce restaurant ouvert depuis 1914, on peut demander son poisson frit ou à la vapeur (inutile de préciser que la seconde option est nettement moins authentique que la première). Côté variété, on a le choix entre cabillaud, saumon, haddock ou encore queue de langoustines à déguster dans une salle Art déco. Si vous avez envie d'agrémenter le repas d'une bouteille d'alcool acheté au supermarché du coin, vous pouvez ! La maison applique le BIY *(bring your bottle)* sans exiger un penny.

### The Rock & Sole Plaice

47, Endell Street, WC2H 9AJ • **M° Covent Garden** • Tél. 020 7836 3785
Ouvert du lundi au samedi de 11h30 à 23h30 et le dimanche de 12h à 22h
Fish & chips à partir de £5.40

C'est l'un des plus vieux fish & chips de Londres, ouvert en 1871.
Passée entre les mains de différents propriétaires, cette adresse à
deux pas de Covent Garden ne désemplit pas. Les prix, eux, n'ont
pas beaucoup changé.

### Fryer's Delight

19, Theobald's Road, WC1X 8SL • **M° Holborn** • Tél. 020 7405 4114
Ouvert du lundi au samedi de 12h à 22h, jusqu'à 22h30 pour la vente à emporter
Fish & chips à partir de £4.60

L'un des meilleurs de Londres. On y vient pour le décor années
1950 avec ses tables en Formica et surtout pour ce que l'on trouve
dans son assiette, frit à souhait, comme l'indique le nom de l'établissement. Ceux qui surveillent leur ligne passeront leur chemin...

### George's Portobello Fish Bar

329, Portobello Road, W10 5SA • **M° Ladbroke Grove** • Tél. 020 8969 7895
Ouvert du lundi au vendredi de 11h à 23h45, le samedi jusqu'à 21h et le dimanche
jusqu'à 21h30
Fish & chips à partir de £5.20

C'est l'exception qui confirme la règle : bien qu'il vende également
des kebabs, ce snack propose un excellent fish & chips ! Il est tenu
par la même famille depuis son ouverture en 1961, et la file d'attente
composée de businessmen, d'étudiants et d'ouvriers s'illumine parfois de la présence du chef Jamie Oliver ou du créateur Julien Mac-
donald, des adeptes du lieu.

# Cuisines du monde

### Londres, un melting-pot gastronomique

À chaque communauté son quartier de prédilection où l'on retrouve restaurants, cafés, boutiques typiques et parfois même les panneaux de rues traduits. Voici quelques communautés et quartiers incontournables... à fréquenter selon vos goûts culinaires !

**Les Africains :** les alentours d'Elephant & Castle ou de Dalson Junction, à Hackney. À ne pas manquer à Hackney : le marché de Ridley Road, haut en couleurs.

**Les Afro-Antillais :** Brixton, autrefois célébré par les Clash comme le quartier des voyous, regorge de bars où faire la fête. Il ne reste presque plus de restaurants authentiques, mais les fans de boudin et d'accra se rattrapent au marché (le matin, du lundi au samedi).

**Les Asiatiques :** l'incontournable Chinatown où les restaurants japonais, chinois ou coréens accueillent aussi bien les expatriés en manque de leur cuisine nationale que les Occidentaux friands de gastronomie exotique.

**Les Indiens :** l'artère de Brick Lane, à deux pas du métro Liverpool Street, regorge de restaurants indiens qui se succèdent... et se ressemblent. Sans guide, difficile de faire une bonne pioche !

**Les Irlandais :** on retrouve cette communauté à Kilburn où l'on peut acheter la presse irlandaise et boire une Guiness dans un pub... irlandais.

**Les Moyen-Orientaux :** Edgware Road et Bayswater où sont concentrés les boutiques, restaurants et cafés typiques. Dépaysement garanti.

**Les Turcs :** à Dalston, on retrouve de nombreux restaurants, cafés et magasins turcs et kurdes et quelques mosquées.

**Les Vietnamiens :** Kingsland Road est réputée pour être la rue où se retrouvent les fans de cuisine vietnamienne.

## Bollywood en cuisine

L'artère privilégiée pour déguster un poulet tikka ou masala reste incontestablement Brick Lane, où s'alignent les restaurants indiens. Mais on trouve également de bonnes adresses dans d'autres parties de la ville.

## Sagar Vegetarian Restaurant

157, King Street, W6 9JT • **M° Hammersmith** • Tél. 020 8741 8563
Ouvert du lundi au jeudi de 12h à 14h45 et de 17h30 à 22h45, le vendredi jusqu'à 23h30, le samedi de 12h à 23h30 et le dimanche de 12h à 22h45

Cet indien végétarien propose pour le déjeuner en semaine un menu complet imbattable avec entrée, plat et dessert à £5.25.

## Aladin

132, Brick Lane, E1 6RU • **M° Liverpool Street** • Tél. 020 7247 8210
Ouvert du dimanche au jeudi de 12h à minuit, les vendredi et samedi jusqu'à 1h
Entrées, £0.50 à £4.25 ; plats, £4.50 à £8.80

Aladin fait partie des meilleurs restaurants de Brick Lane, avec des tarifs très corrects – menu 3 plats à £5.99 (valable tous les jours de la semaine de 12h à 16h30). La décoration de la salle, plutôt sommaire, ne joue pas la carte Bollywood mais les clients sont de toutes les façons trop occupés à déguster l'excellente cuisine bengali. Les amateurs de vin ou de bière sont invités à apporter leur propre bouteille, Aladdin n'ayant pas de licence alcool.

## Café Naz

46-48, Brick Lane, E1 6RF • **M° Liverpool Street**
Tél. 020 7247 0234 • www.cafenaz.co.uk
Ouvert tous les jours de 12h à 22h

Ce restaurant qui fait partie d'une petite chaîne se distingue par un décor plus contemporain que celui de ses confrères, cadre apprécié par les Indiens qui y organisent régulièrement des mariages. On craque ici pour le biryani, le tikka ou le dosa, sans oublier de jeter un œil au nombre de piments indiqué sur la carte…

## Masala Zone

9, Marshall Street, W1F 7ER • **M° Oxford Circus**

Tél. 020 7287 9966 • www.realindianfood.com

Ouvert du lundi au vendredi de 12h à 15h30 et de 17h30 à minuit, le samedi à partir de 12h30 et le dimanche à partir de 18h

Plats, £6.35 à £11.40 ; entrées, £4.15 à £4.35 • Menu 2 plats £8.35 ; menu 3 plats £9.45, pour toute commande passée avant 18h30

Un peu épicé, très épicé, pas épicé du tout, la signalétique avec le piment rouge sur la carte permet de prévenir les estomacs fragiles. La meilleure option chez Masala Zone ? Le thali, un plat complet qui combine plusieurs bols différents accompagnés de riz et de cha-pati (le pain indien). **Bon à savoir:** Masala Zone propose un thali spécialement conçu pour les diabétiques, inspiré des règles de la médecine ayurvédique.

## Imli

167-169, Wardour Street, W1F 8WR • **M° Tottenham Court Road et Oxford Circus**

Tél. 020 7287 4243 • www.imli.co.uk

Ouvert du lundi au mercredi de 12h à 23h, du jeudi au samedi jusqu'à 23h30 et le dimanche jusqu'à 22h

Menu midi £9.95

Le petit frère du prestigieux restaurant indien Tamarind s'est lancé le défi de proposer de la nourriture digne d'être étoilée au Michelin à des prix abordables. Pari tenu !

### Le bon plan

Le YMCA Indian est le point de ralliement des Indiens venus à Londres pour étudier ou travailler. Le restaurant est quant à lui fréquenté par tous les amateurs de cuisine indienne, des étudiants aux familles en passant par les banquiers. Le cadre est certes sommaire – déco cantine –, mais les plats sont délicieux, copieux et vraiment bon marché. Curry, soupe, riz... on choisit, on paie à la réception et l'on va se faire servir en cuisine. Très bonne ambiance.

**YMCA INDIAN**

**41, Fitzroy Square, W1T 6AQ • M° Warren Street**

**Tél. 020 7387 0411 • www.indianymca.org**

**Ouvert du lundi au vendredi de 7h30 à 9h15, de 12h à 14h et de 19h à 20h30, le week-end de 8h à 9h30, de 12h30 à 13h30 et de 19h à 20h30**

**Déjeuner et dîner, £5 ; petit-déjeuner, £2.50**

## Pizza et C^ie

La pizza est considérée aujourd'hui comme un plat international. Voici les meilleures adresses londoniennes pour la déguster.

## La Porchetta

141, Upper Street, N1 1QY • **M° Angel** • Tél. 020 7288 2488

Ouvert du lundi au jeudi de 17h30 à 23h, le vendredi jusqu'à minuit, le samedi de 12h à minuit et le dimanche de 12h à 22h

Entrées, £3.10 à £7.50 ; pizzas, £5.90 à £8.90 ; plats, £6.50 à £10.70

Dans le charmant quartier d'Islington, au nord de Londres, la Porchetta a ses habitués, au premier rang desquels les fans de pizzas. Les classiques opteront pour une margherita ou une calzone, les plus audacieux pour une romana (tomate, mozzarella, ricotta et épinard) ou une porchetta (tomate, mozzarella, ananas, jambon et champignons). Produits importés d'Italie, portions très généreuses et pâte croustillante, pas de risque d'être déçus, surtout à ce prix-là. *Mamma mia* !

## Italiano Coffee Company

46, Goodge Street, W1T 4LU • **M° Goodge Street** • Tél. 020 7580 9688

Ouvert du lundi au vendredi de 7h à 23h, le week-end à partir de 8h30

Pizzas, £3.50 à £5.90 ; salades, £2.50 ; sandwichs, £0.90 à £2.50 ; desserts, £0.80 à £2.80

C'est l'un des meilleurs plans de Londres. Une grande margherita à pâte fine pour £3.50, qui dit mieux ? Il faut faire la queue au comptoir et attendre qu'on vous appelle pour chercher votre pizza, mais à ce prix-là, on veut bien assurer le service ! Avant midi, le croissant est offert pour tout achat d'une grande boisson chaude et après 16h, les sandwichs sont soldés à 50 %. **Le plus :** la presse à disposition.

## Story Deli

3, Dray Walk, E1 6QL • **M° Liverpool Street** • Tél. 020 7247 3137

Ouvert tous les jours de 12h à 22h30

Pizzas, £11 ; desserts, £2.50

Du fromage de chèvre, de la pancetta, des courgettes ou encore du chorizo… Dans cette pizzeria bio, il y en a pour tous les goûts. On prend place autour des grandes tables d'hôtes en bois, assis sur des tabourets en carton épais, et on savoure. Le week-end, Story Deli est bondé de Londoniens qui raffolent de ces pizzas extra-fines servies sur de grandes planches en bois. Et pour terminer le repas, laissez-vous tenter par une glace bio citron-gingembre ou caramel.

## Furnace

1, Rufus Street, N1 6PE • **M° Old Street** • Tél. 020 7613 0598

Ouvert du lundi au vendredi de 12h à 15h et de 19h à 23h, le samedi de 19h à 23h

Pizzas, £6.95 à £10

À l'est, dans le quartier de Shoreditch, on fait souvent la queue pour déguster ces gigantesques pizzas servies dans une grande salle aux murs de brique. Une valeur sûre.

## Pizza East

56, Shoreditch High Street, E1 6JJ • **M° Old Street**
Tél. 020 7729 1888 • www.pizzaeast.com
Ouvert du lundi au mercredi de 12h à minuit, le jeudi jusqu'à 1h, le vendredi jusqu'à 2h,
le samedi de 10h à 2h et le dimanche de 10h à minuit
Pizza £7.50 à £13 ; desserts £5 à £8

Sans conteste la pizzeria la plus branchée de l'Est. Les Londoniens se pressent dans ce décor industriel pour déguster une délicieuse pizza au feu de bois ou un assortiment de charcuteries (£11). Pour brûler les calories, on peut finir la soirée au sous-sol, dans le bar Concrete.

## Pizza Express

10, Dean Street, W1D 3RW • **M° Tottenham Court Road**
Tél. 020 7437 9595 • Autres adresses sur www.pizzaexpress.com
Ouvert du lundi au samedi de 11h30 à minuit, le dimanche jusqu'à 23h
Pizza £6.50 à £10.50 ; desserts £4.70

Cette chaîne d'assez bon rapport qualité-prix propose des pizzas ultrafines et des concerts de jazz au sous-sol.

### Made in Asia

Chinois, japonais, vietnamiens, Londres regorge de restaurants asiatiques délicieux et pas ruineux.

## Kiasu

48, Queensway, W2 3RY • **M° Bayswater et Queensway**
Tél. 020 7727 8810 • www.kiasu.co.uk
Ouvert tous les jours de 12h à 23h
Entrées, £2.50 à £5.80 ; plats, £4.80 à £8.50

Pour s'envoler pour le détroit de Malacca en Asie sans quitter Londres ! La cuisine, riche de diverses influences (détroit oblige), a été confiée à différents chefs. Les portions sont plus que généreuses – à l'instar des tarifs. Et si le décor reste assez sommaire, on a vite fait de l'oublier une fois son curry rouge de canard dans l'assiette.
**Le plus :** certains plats peuvent être épicés à la demande.

## Kim's Vietnamese

Middle Yard, NW1 8AF • **M° Camden Town** • Tél. 020 7284 2084

Ouvert tous les jours de 10h à 17h30

Plats, £3 à £4.50 ; sushis, à partir de £1.50 la paire

Ce ne sont pas les snacks chinois, mexicains, italiens ou japonais qui manquent dans le marché de Camden. Difficile de dénicher la perle rare lorsque l'on se fait alpaguer toutes les deux secondes. Un indice qui ne trompe pas : il y a toujours la queue chez Kim's Vietnamese. Les habitués raffolent du curry de crevettes et de la soupe de nouilles au poulet (la spécialité de Kim), le tout fait maison. Ceux qui ne sont pas fans de la cuisine vietnamienne se rattraperont sur les délicieux sushis, préparés sur place.

## Ping Pong Dim Sum

48, Newman Street, W1T 1QQ • **M° Goodge Street** • Tél. 020 7291 3080

Autres adresses sur www.pingpongdimsum.com

Ouvert du lundi au samedi de 12h à 23h et le dimanche jusqu'à 22h30

Plats, £2.99 à £5.49 ; desserts, £2.73 à £4.29

Cette chaîne compte sept adresses et accueille une clientèle de Londoniens branchés et pressés venus déguster un Dim Sum (brunch à la cantonaise) dans un décor noir laqué.

## Yo Sushi !

5ᵉ étage du grand magasin de Harvey Nichols, 102-105, Knightsbridge, SW1X 7RJ

**M° Knightsbridge** • Tél. 020 7201 8641 • www.yosushi.com

Ouvert du lundi au samedi de 9h30 à 23h et le dimanche jusqu'à 18h

Plats £3.30 à £5 ; desserts £2.80 à £3.80

Au 5ᵉ étage du grand magasin Harvey Nichols défilent les sushis et autres spécialités japonaises sur des tapis roulants placés devant les clients attablés au bar. Chaque couleur de plat correspond à un prix. À la fin du repas, on compte les assiettes. Attention quand même à l'addition !

## New World

1, Gerrard Place, W1D 5PB • **M° Leicester Square** • Tél. 020 7434 2508

Ouvert du lundi au samedi de 12h à 23h45 et le dimanche de 11h à 23h

Dim Sum à partir de £2.40

Dans le quartier de Chinatown, on brave ici la file d'attente pour déguster les excellents Dim Sum maison servis sur des chariots, tous les jours de 11h à 18h.

## Thai Pot

1, Bedfordbury, WC2N 4BP • **M° Leicester Square**

Tél. 020 7379 4580 • www.thaipot.biz

Ouvert du lundi au samedi de 12h à 15h et de 17h30 à 23h

Entrées, £4.25 à £12 ; plats, £6.25 à £12 ; desserts, £3.75 à £4.75

Cette adresse, près de Leicester Square, est bien connue des Londoniens fans de cuisine thaïlandaise. Une vaste carte avec de très bons currys et d'excellentes *noodles*.

## Wagamama

14, Irving Street, WC2H 7AF • **M° Leicester Square**

Tél. 020 7839 2323 • Autres adresses sur www.wagamama.com

Ouvert du lundi au jeudi de 12h à 23h, les vendredi et samedi jusqu'à minuit et le dimanche de 10h à 22h

Entrées, £1.35 à £5.90 ; plats, £6.10 à £10.35

La France ne connaît pas encore cette chaîne implantée dans le monde entier. Les grandes tables sont occupées à toute heure de la journée. Les Londoniens raffolent de la spécialité maison : les *noodles*, que l'on trouve ici aussi bien accompagnées de canard, de fruits de mer, que de saumon ou de tofu. **Le plus :** le thé vert offert avec le repas.

## Go Chisou

3, Princes Street, W1B 2LE • **M° Oxford Circus** • Tél. 020 7629 0029

Ouvert du lundi au vendredi de 12h à 17h

Entrées, £2 à £9 ; plats, £3 à £17.50

À côté de son restaurant, un peu cher, ce Japonais a ouvert un traiteur, plus abordable, avec des tables à l'intérieur et d'autres installées dans la rue. Tout n'est pas donné mais certaines formules sont assez abordables. Six makis à l'asperge coûtent £3, le Curry Udon (une grande soupe japonaise avec légumes et nouilles) et les *ramens* sont à £8.50 sans oublier le menu Curry Rice Set (avec curry japonais, riz, pickles et salade) à £8.50. Avis aux amateurs de people, Chisou compte Gwyneth Paltrow parmi ses clients réguliers.

## Busaba Eathai

106-110, Wardour Street, W1F 0TR • M° **Piccadilly Circus**
Tél. 020 7255 8686 • www.busaba.com
Ouvert du lundi au jeudi de 12h à 23h, les vendredi et samedi jusqu'à 23h30 et le dimanche jusqu'à 22h
Entrées, £1.70 à £6 ; plats, £6.20 à £10.90

Il est réputé pour être l'un des meilleurs thaïlandais de Londres, avec un décor épuré et gentiment trendy, de grandes tables d'hôtes et une carte qui offre un vaste choix. Parmi les spécialités de la maison, les *noodles wok* avec poulet fumé, brocoli chinois et des œufs, ainsi que le Jungle Curry mitonné avec du poulet au curry rouge, des aubergines, des pousses de bambou et des haricots. À arroser d'un Jasmine Smoothie, composé de fruits de la passion, de banane, d'orange, de yaourt et d'eau de jasmin. Aux heures de pointe, mieux vaut s'armer de patience pour espérer s'attabler.

## Misato

11, Wardour Street, W1D 6PG • M° **Tottenham Court Road** • Tél. 020 7734 0808
Ouvert tous les jours de 11h45 à 23h
Sushis, £1.90 à £2.90 ; bentos, £8.20 à £8.80 ; riz, £4.90 à £6.20

Aux heures d'affluence, il est quasiment inévitable de faire la queue pour goûter au Tempura Bento, un repas complet à base de crevettes et de légumes frits, ou aux currys japonais, l'une des spécialités de la maison. Les repas sont de qualité et le rapport qualité-prix imbattable. Cela explique sûrement les plats en plastique et le service pressé.

## Envie de burger?

Les créations originales de la chaîne Fine Burger Company sont réussies, à l'instar du Sizzler avec bacon fumé et cheddar.

**FINE BURGER COMPANY**

**St Pancras International, The Circle, NW1 2QP • M° St Pancras**

**Tél. 020 7278 8056 • www.fineburger.co.uk**

**Ouvert tous les jours de 7h à 22h**

**Hamburgers, £5.45 à £7.75. Menus enfants**

Le McDo version gastronomique : développée par trois Néo-Zélandais, Gourmet Burger Kitchen a joué la carte de la fusion pour imaginer ses hamburgers. Le bœuf d'Aberdeen se déguste avec de la mangue et de la sauce au gingembre (le Jamaican), avec de la betterave, de l'ananas, des œufs et du fromage (le Kiwiburger) ou juste de la salade (le Classic). Pour la petite histoire, la chaîne a été plébiscitée Best Burger Bar par le magazine *Time Out* en 2005.

**GOURMET BURGER KITCHEN**

**160, Portobello Road, W11 2EB • M° Notting Hill**

**Tél. 020 7243 6597 • www.gbkinfo.com**

**Ouvert du lundi au vendredi de 12h à 23h, le samedi à partir de 11h et le dimanche jusqu'à 22h**

**Hamburgers, £5.95 à £7.95**

## Et le reste du monde...

### Gallipoli Bazaar

107, Upper Street, N1 1QN • **M° Angel**

Tél. 020 7226 5333 • www.cafegallipoli.com

Ouvert du lundi au jeudi de 12h à 23h, le vendredi jusqu'à minuit, le samedi de 10h à minuit et le dimanche de 10h à 22h30

Entrées, £3.95 à £4.85 ; plats, £8.60 à £9.50 ; desserts, £3.05 à £3.55

Pour les ambiances orientales, les plateaux dorés en guise de table, les lampes provenant des plus beaux souks et la carte de spécialités turques, il faut venir au Gallipoli Bazaar. Au menu : borek, tagine ou bien couscous. Les plus indécis et les plus fauchés opteront pour le menu complet à £10.95 afin de goûter à tout (ou presque). Si le restaurant est plein – c'est souvent le cas – tentez votre chance dans l'une des deux annexes, aux 102 et 120 de la même rue.

### Sangria

88, Upper Street, N1 0NP • **M° Angel** • Tél. 020 7704 5253

Ouvert les lundi et mardi de 12h à 23h30, les mercredi, jeudi et dimanche jusqu'à 0h30 et les vendredi et samedi jusqu'à 2h

Pour une ambiance espagnole, pourquoi ne pas tenter ce bar à tapas situé sur Upper Street ? La semaine, de 12h à 17h, on peut déguster le menu 2 plats à £5 ou profiter de la formule "un tapas acheté, un tapas offert" pour goûter au jambon ibérique, au fromage espagnol et aux tortillas maison.

### The Real – Marylebone

56, Paddington Street, W1U 4HY • **M° Baker Street**

Tél. 020 7486 0466 • Autres adresses sur www.therealgreek.com

Ouvert du lundi au samedi de 12h à 23h et le dimanche jusqu'à 22h30

Entrées, £1.85 à £5.95 ; kebabs, £4.95 à £6.25 ; grandes assiettes, £6.95 à £12.95

Le premier, et excellent, Real Greek ouvert en 1999 dans le quartier de Hoxton a fait des petits, dont cette annexe située dans Marylebone, le quartier qui monte – Madonna et Keira Knightley y ont leurs habitudes... Les plus gourmands commenceront par un choix de mezzes (tzatziki, taboulé et autres dolmas) apportés sur un plateau à étages, les autres passeront directement au souvlaki (un kebab grillé sur du charbon de bois). Le tout arrosé d'ouzo ou d'un vin grec dont on prendra soin de jeter le verre à la fin du repas. Vaisselle cassée non comprise dans le prix.

## Comptoir libanais

65, Wigmore Street, W1U 1PZ • **M° Bond Street**
Tél. 020 7935 1110 • www.lecomptoir.co.uk
Ouvert du lundi au vendredi de 8h à 22h, le week-end à partir de 10h
Plats et sandwichs, £4.25 à £6.90, desserts £2.45

C'est une réussite, d'un point visuel et culinaire. Le décor est graphique et coloré, avec des accents orientaux et une touche de mobilier industriel. On se dresse donc sur son tabouret Tolix pour déguster son assiette de mezze libanais, son samboussek, son couscous bio ou siroter son smoothie aux dattes et graines de sésame. Au moment du *tea-time*, on peut même troquer l'Earl Grey et les scones pour un thé à la menthe accompagné de baklawa (£2.95). Le plus : le coin épicerie avec des produits 100 % orientaux et le joli badge, offert aux clients.

## Hummus Bros

88, Wardour Street, W1F 0TJ • **M° Oxford Circus, Tottenham Court Road et Piccadilly Circus** • Tél. 020 7734 1311 • www.hbros.co.uk
Ouvert du dimanche au mercredi de 12h à 22h et du jeudi au samedi jusqu'à 23h
Plats, £3.70 à £6.70 ; desserts, £1.50 à £2.50

Le hoummous à toutes les sauces ! Servi sur un pain pita (normal ou à la farine complète), le hoummous est ici agrémenté de guacamole, de champignons, de poulet ou d'œufs. Des rencontres parfois étranges, mais nourrissantes. La salade grecque ou le taboulé sont plus traditionnels. Et côté dessert, on ne rate pas le malabi, un dessert oriental à base de lait arrosé de miel. Une adresse conviviale, avec ses grandes tables d'hôtes, où les tarifs sont 20 % moins élevés au déjeuner en semaine.

# 100 % végétarien

## Green Note

106, Parkway, NW1 7AN • **M° Camden Town**

Tél. 020 7485 9899 • www.greennote.co.uk

Ouvert les mercredi et jeudi de 19h à 23h, le vendredi jusqu'à minuit, le samedi de 18h à minuit et le dimanche à partir de 13h

Menu £1.95 à £17.95

Ce restaurant situé près de Camden Town a la faveur des mélomanes et des végétariens du quartier. Les premiers raffolent des concerts de blues, de rock, de folk et de chanteurs à texte (entrée de £2 à £12.50). Les seconds des tapas à l'espagnole, des plats d'inspiration orientale et du menu entièrement végétarien et bio. Le dimanche de 13h à 16h30, c'est "open mic" (micro ouvert) pour les chanteurs...

## Food for Thought

31, Neal Street, WC2H 9PR • **M° Covent Garden** • Tél. 020 7836 0239

Ouvert du lundi au samedi de 12h à 20h30 et le dimanche jusqu'à 17h

Entrées, £3.30 ; plats, £4.50 à £7.80 ; desserts, £1.50 à £3.80

Situé dans une artère commerçante, ce restaurant est une bonne alternative, peu onéreuse et historique, aux grandes chaînes de snacks. Ouvert en 1974, c'est l'un des premiers restaurants végétariens de Londres. Quiches, currys de légumes et plats du jour sont à emporter au rez-de-chaussée ou à manger sur les tables d'hôtes du sous-sol, squattées par des étudiants, des mannequins et d'anciens hippies.

## Neal's Yard Salad Bar

2, Neal's Yard, WC2H 9DP • **M° Covent Garden**

Tél. 020 7836 3233 • www.nealsyardsaladbar.co.uk

Ouvert tous les jours de 7h30 à 21h

Salades, à partir de £5 ; jus, à partir de £2.50

Ce végétarien ultracoloré, ouvert en 1982, propose des salades copieuses et un bar à jus. Ne manquez pas cette place, l'une des plus charmantes du quartier, où se trouve entre autres la boutique de produits de beauté bio Neal's Yard Remedies.

### Diwana – Bhel Poori House

121, Drummond Street, NW1 2HL • **M° Euston** • Tél. 020 7387 5556

Ouvert tous les jours de 12h à 23h

Ce restaurant indien végétarien a ses habitués. Il faut dire que le buffet (ouvert de 12h à 14h30) est imbattable : pour £6.95, on se sert à volonté des salades, plats chauds, riz, pain que l'on déguste sur de grandes tables en bois.

### Dru Café

131, Drummond Street, NW1 2HL • **M° Euston**

Tél. 020 7380 0857 • www.druworldwide.com/cafe

Ouvert du lundi au vendredi de 9h à 16h

Petit-déjeuner, £2.10 à £5.45 ; plats, £5.50 à £7.95

À l'heure du déjeuner, il faut slalomer entre les tapis de yoga ! Ce restaurant branché conviendra aux végétariens comme aux personnes allergiques aux produits laitiers, aux noisettes ou bien au gluten. Pas question de ressortir le ventre vide pour autant. Le vaste buffet (de 12h à 15h) propose pizzas et pâtes, un petit-déjeuner traditionnel avec saucisse végétarienne, ou encore des glaces bio sans produits laitiers.

### Beatroot

92, Berwick Street, W1F 0QD • **M° Oxford Circus** • Tél. 020 7437 8591

Ouvert du lundi au vendredi de 9h à 21h et le samedi à partir de 11h

Plats, £3.90 à £5.90 ; desserts, £1.20 à £2.20

On choisit une taille de boîte (petite, moyenne ou grande) que l'on remplit de salades du jour au comptoir. Curry, taboulé au quinoa, pâtes, légumes rôtis, coleslaw que les végétariens accompagnent d'un smoothie detox (carotte, gingembre et jus d'herbe de blé). On déjeune ensuite debout, à la londonienne, ou sur les tables face au bouillonnant Berwick Street Market.

## Cafe Below

St Mary-le-Bow Church, Cheapside, EC2V 6AU • **M° St Paul's, Bank ou Mansion House**
Tél. 020 7329 0789 • www.cafebelow.co.uk
Ouvert du lundi au vendredi de 7h30 à 15h
Plats, £3.20 à £7.75 ; desserts, £1.70 à £2.80

Tous les midis, les businessmen de la City s'engouffrent dans le sous-sol de l'église St Mary, non pas pour prier pour que le cours des actions remonte, mais pour déjeuner ! Ce snack situé dans la crypte de l'église est réputé pour ses soupes, ses grandes salades, quiches et autres sandwichs du jour 100 % végétariens. Tout est fait maison et le lundi, promo : un repas offert pour un acheté !

# Les tables bis des grands chefs

Pour un soir, vous avez envie de vous offrir la cuisine d'un grand chef sans redouter le moment de l'addition ? Optez pour les brasseries ouvertes par les cuisiniers les plus en vue de Londres. C'est certes un poil plus cher que les autres adresses de ce guide, mais les gastronomes aux petites bourses seront ravis…

## Comptoir gascon

63, Charterhouse Street, EC1M 6HJ • **M° Barbican**
Tél. 020 7608 0851 • www.comptoirgascon.com
Ouvert du mardi au samedi de 12h à 14h et de 17h à 22h, les vendredi et samedi jusqu'à 23h
Entrées, £4.50 à £7.50 ; plats, £4 à £13.50 ; desserts, £3.50 à £9

Les Londoniens raffolent du Club gascon, un restaurant étoilé spécialisé dans la cuisine française du Sud-Ouest. Comptoir gascon, une brasserie aux prix plus doux inaugurée peu après, a connu le même franc succès. Charcuterie, cassoulet et pâtisseries maison à se damner figurent sur la carte qui change tous les mois. Pour les fans, un service de vente à emporter et quelques produits d'épicerie fine à s'offrir avant de repartir.

## Le plan d'enfer !

La carte quotidienne du Vincent Rooms dépend… de la leçon du jour ! En cuisine, ces étudiants formés à bonne école (Jamie Oliver fait partie des anciens) s'attellent à préparer des plats sophistiqués, tels ce bar épicé au sumac accompagné de courge au cumin ou ce rôti de porc au bacon fumé avec des lentilles du Puy. Confortablement assis dans la grande salle du rez-de-chaussée qui fait plus restaurant que cafétéria, on profite du savoir-faire des chefs anglais de demain. Seul hic : il faut dîner à l'anglaise, c'est-à-dire tôt… Appelez avant, c'est plus sûr.

**THE VINCENT ROOMS**

**Westminster Kingsway College, 76 Vincent Square, SW1P 2PD**

**M° Victoria • Tél. 020 7802 8391 • www.thevincentrooms.com**

**Ouvert du lundi au vendredi de 12h à 14h, les mardi et jeudi de 18h à 21h ; fermé durant les vacances scolaires**

**Appeler entre 12h et 13h ou entre 18h et 19h pour réserver**

**Entrées à partir de £4 ; plats, £6 à £10 ; desserts à partir de £4**

## The Narrow

44, Narrow Street, Limehouse Base, E14 8DQ • **M° Limehouse**

Tél. 020 7592 7950 • www.gordonramsay.com/thenarrow

Ouvert du lundi au vendredi de 11h30 à 15h et de 18h à 23h, le samedi de 12h à 16h et de 17h à 23h et le dimanche jusqu'à 22h30

Menu 2 plats £18 ; menu 3 plats £22

Gordon Ramsay est réputé tant pour ses talents de chef cuisinier que pour ses jurons ! Il s'est récemment lancé dans le gastropub (il en a maintenant trois à Londres, dont The Narrow), où est proposée à prix raisonnables une excellente cuisine anglaise traditionnelle.

## Fifteen

15, Westland Place, N1 7LP • **M° Old Street**

Tél. 087 1330 1515 • www.fifteen.net

Ouvert du lundi au samedi de 7h30 à 11h, de 12h à 15h et de 18h à 21h30 et le dimanche de 8h à 11h, de 12h à 15h30 et de 18h30 à 21h30

Entrées, £8 à £11 ; plats, £9 à £21

Jamie Oliver a gagné le cœur des Anglaises avec sa bouille craquante et son marketing bien huilé, et celui des gourmands avec sa cuisine simple et savoureuse. Deux options pour la goûter : le restaurant gastronomique ou la trattoria, bien meilleur marché. L'ambiance y aussi est plus détendue, et les plats d'inspiration italienne sont cuisinés et servis par des jeunes en réinsertion. Une bonne action pour eux… et un bon moment en perspective pour vos papilles.

### Lunch gastronomique

Crise oblige, de nombreux restaurants étoilés proposent désormais des menus pour le déjeuner relativement abordables. L'occasion de s'offrir une grande table sans se ruiner. Parmi les plus intéressants, Arbutus a lancé un menu trois plats à £15.50 pour les aficionados de cuisine inventive. Envie d'essayer les stars de la gastronomie ? Tom Aikens, considéré comme l'un des meilleurs chefs anglais, propose un menu déjeuner avec deux (£23) ou trois plats (£29). Plus cher mais idéal en cas de *homesickness*, le dîner chez Alain Ducasse au chic hôtel The Dorchester vous coûtera £39.50 pour deux plats, deux verres de vin, de l'eau et un café, vue sur Hyde Park comprise.

**ARBUTUS • 63-64, Frith Street, W1D 3JW • M° Tottenham Court Road**
**Tél. 020 7734 4545 • www.arbutusrestaurant.co.uk**
**TOM AIKENS • 43, Elystan Street, SW3 3NT • M° South Kensington**
**Tél. 020 7584 2003 • www.tomaikens.co.uk**
**THE DORCHESTER • Park Lane, W1K1QA • M° Marble Arch**
**Tél. 020 7629 8866 • www.alainducasse-dorchester.com**

### The Gallery

9, Conduit Street, W1S 2XG • **M° Oxford Circus**
Tél. 020 7659 4500 • www.sketch.uk.com
Ouvert du lundi au samedi de 19h à 2h
Entrées, £9 à £22 ; plats, £8.50 à £32 ; desserts, £8 à £10

Voici une bonne excuse pour découvrir ce lieu incroyable et la cuisine d'un chef non moins surprenant : le célèbre Pierre Gagnaire,
adepte de la gastronomie moléculaire. On s'épargnera The Lecture
Room, franchement hors de prix, pour s'offrir la brasserie The Gallery. Au menu : mulet accompagné de Ricard, de crème de ratatouille
et de cake au fenouil, tartare de filet de bœuf aux oignons, piment
d'Espelette et œuf mollet ou bien l'excellent risotto au citron. On
ne regrettera pas ses deniers, surtout après avoir fait un tour aux
toilettes, tout simplement hallucinantes...

## Pour les inconditionnels du tea-time

Servi aux alentours de 17h, le *tea-time* est un repas à part entière ! Au
menu : du thé (avec du lait ou du citron), quelques scones avec de la
crème et de la confiture sans oublier de petits sandwichs...

### Postcard Teas

9, Dering Street, New Bond Street, W1S 1AG • **M° Bond Street**
Tél. 020 7629 3654 • www.postcardteas.com
Ouvert du lundi au samedi de 10h30 à 18h30 • £1.50 la tasse

Une micro-boutique située à deux pas de la frénésie d'Oxford Street,
idéale pour faire une pause après le shopping. On s'installe autour
d'une grande table en bois pour savourer une tasse de thé accompagnée d'une pâtisserie maison (£2). La boisson est offerte à ceux qui
achètent un paquet de thé (à partir de £2.95 les 50 g) méticuleuse-
ment sélectionné par le patron, incollable sur son sujet.

## Café in the Crypt

St Martin-in-the-Fields, Trafalgar Square, WC2N 4JJ • **M° Charing Cross**

Tél. 020 7766 1158 • www.smitf.org

Ouvert du lundi au mercredi de 8h à 20h, du jeudi au samedi jusqu'à 21h et le dimanche de 11h à 18h • £1.30 la tasse

Sûrement l'un des lieux les moins chers et les plus atypiques de la capitale. Situé dans la crypte de l'église récemment rénovée de St Martin-in-the-Fields, ce café propose de 14h à 18h son *tea plate* (£5.25) avec scone maison, confiture et beurre et un *chocolate fudge*.

## Bea's of Bloomsbury

44, Theobald's Road, WC1X 8NW • **M° Holborn et Chancery Lane**

Tél. 0207 242 8330 • www.beasofbloomsbury.com

Ouvert du lundi au vendredi de 8h à 19h, le samedi de 10h à 18h et le dimanche de 12h à 18h • Théière à partir de £2

*Cupcakes* vanille ou chocolat, brownies, scones tartinés de *clotted cream,* meringues ou encore cheesecakes, les chocoholic pourront choisir ce qui accompagnera le mieux leur thé ou leur chocolat chaud Valrhona (à se damner). Bea propose également des formules : £5 pour la boisson chaude et deux scones, £8 avec un *cupcake* et une pâtisserie en plus, le tout servi sur un vaisselier à l'humour très british. Les plus gourmands opteront pour la formule à volonté (£13) proposée le dimanche. Réservation plus que conseillée.

## Mo Tearoom & Bazaar

25, Heddon Street, W1B 4BH • **M° Piccadilly Circus**

Tél. 020 7434 4040 • www.momoresto.com

Ouvert du lundi au samedi de 12h à 23h £2.50 la théière

Ici, on a troqué les imprimés Liberty et les scones contre des poufs, des lanternes marocaines et des pâtisseries orientales. Ouvert il y a quelques années par Mourad Mazouz, dit Momo, un Français ami des people, le Mo Tearoom, qui jouxte le restaurant Momo's, rencontre un franc succès. Il suffit de s'installer confortablement sur la terrasse, une chicha à la pomme dans la main, un thé à la menthe dans l'autre pour oublier qu'on est à Londres !

## Pâtisserie Valérie

Duke of York's Square, King's Road, SW3 4LY • **M° Sloane Square** • Tél. 020 7730 7094
Autres adresses sur www.patisserie-valerie.co.uk
Ouvert du lundi au vendredi de 7h30 à 19h, le samedi à partir de 8h et le dimanche de
9h à 18h • £2.40 la théière

Ce café appartient à la chaîne quasi-centenaire Pâtisserie Valérie
qui accueille une clientèle d'habitués, fanas des somptueux gâteaux
qui y sont proposés.

## Cafe 2

Tate Modern, 2$^e$ étage, Bankside, London SE1 9TG • **M° Southwark et Blackfriars**
Tél. 020 7401 5014 • www.tate.org.uk
Ouvert du dimanche au jeudi de 10h à 17h30, les vendredi et samedi jusqu'à 21h30
£1.80 à £2.35 la tasse

Avant ou après avoir visité (gratuitement) les collections permanentes de la Tate Modern, pourquoi ne pas s'offrir un thé au dernier
étage ? La vue sur la Tamise, la cathédrale St Paul's et le Millenium
Bridge est imprenable depuis les tabourets du bar qui longent la
grande baie vitrée.

## Bar Italia

22, Frith Street, W1D 4RP • **M° Tottenham Court Road**
Tél. 020 7437 4520 • www.baritaliasoho.co.uk
Ouvert du lundi au samedi 24h/24 et le dimanche de 7h à 16h • £2 le café

Ceux qui préfèrent le café au thé s'arrêteront pour le goûter dans
cette institution du quartier de Soho. Ce bar italien reçoit ses habitués depuis 1949. On peut s'y arrêter pour boire un *espresso*, l'un
des meilleurs de la ville, goûter les pâtisseries maison et surtout
s'installer en terrasse pour profiter du spectacle de cette rue très
animée. Les soirs où l'équipe de football italienne joue, c'est quasiment l'émeute !

# SORTIR

Londres est réputée pour sa vie nocturne intense, mais aussi pour ses tarifs parfois délirants. Voici quelques bonnes adresses pour goûter aux nuits londoniennes et boire un verre sans faire exploser son budget : une pinte de bière sirotée devant un pub, les boîtes de nuit et concerts gratuits ou l'incontournable happy hour. *Cheers* !

# À savoir

• Le happy hour est de rigueur dans quasiment tous les bars. Généralement entre 17h et 19h, les boissons sont bradées.

• Le magazine *Time Out* est une bible (aussi) pour les nuits londoniennes. On y retrouve les soirées de la semaine, avec parfois des réductions sur présentation du journal ou en citant un code.

• Les fêtards peuvent s'inscrire sur www.circleclubcard.com. Pour £20 par an, les membres accèdent gratuitement à plusieurs boîtes réputées de la ville, bénéficient de réductions et de happy hour toute la nuit.

# Tous au pub !

Incontournable, la pinte à siroter à l'anglaise, c'est-à-dire debout, à l'intérieur ou à l'extérieur, devant le pub... Une pratique encore plus répandue depuis l'interdiction de fumer dans les lieux publics. Inutile d'attendre qu'un serveur vienne prendre votre commande : ici, on se sert et on paie directement au comptoir. Reste à savoir quelle bière choisir...

### The Tipperary

66, Fleet Street, EC4Y 1HT • **M° Blackfriars** • Tél. 020 7583 6470

Ouvert du lundi au vendredi de 11h à 23h et le week-end de 12h à 18h

Alcools à partir de £2

Ce pub irlandais datant de 1605 est réputé pour avoir été le premier à servir de la Guiness hors d'Irlande. Il reste le meilleur endroit pour la boire.

## The Punch Bowl

41, Farm Street, W1J 5RP • **M° Green Park**

Tél. 020 7493 6841 • www.punchbowllondon.com

Ouvert du lundi au samedi de 12h à 23h, le dimanche jusqu'à 17h

Alcools à partir de £3.90

De l'extérieur, rien ne diffère le Punch Bowl du pub traditionnel que l'on trouve à tous les coins de rue. Pourtant, votre voisin de bar pourrait bien être Robert De Niro ou l'un de ses confrères, venu siroter une pinte dans le pub de leur copain Guy Ritchie. L'ex-mari de Madonna a ouvert ce bar avec deux associés, dans un immeuble classé du chic quartier de Mayfair. À la sortie des bureaux, on y croise les cols blancs relâchant la cravate… et pas un paparazzi !

## The Golden Heart

110, Commercial Street, E1 6LZ • **M° Liverpool Street** • Tél. 020 7247 2158

Ouvert du lundi au samedi de 11h à 23h, le dimanche jusqu'à 22h30

Alcools à partir de £1.50

C'est le rendez-vous des modeux, des ouvriers et des artistes du coin qui aiment boire un verre en écoutant la patronne, Sandra Esquilant, considérée comme l'une des 80 personnes les plus influentes de l'art contemporain. Pourquoi ? On chuchote qu'elle chouchouterait entre autres l'artiste Tracey Emin, qui la considère comme son agent, et le duo de trublions Gilbert & George, des voisins, qui passent de temps en temps. Madonna y a même été vue en train de danser sur les tables…

## George Inn

77, Borough High Street, Southwark, SE1 1NH • **M° London Bridge**

Tél. 020 7407 2056

Ouvert du lundi au vendredi de 11h à 23h, le samedi à partir de 12h et le dimanche jusqu'à 22h30

Alcools à partir de £2

Ce pub qui accueillait en leur temps Dickens et Shakespeare fait aujourd'hui partie du patrimoine historique de la ville.

## Une petite faim?

C'est la tendance, à Londres : on ne va plus au pub (que) pour boire, on y mange aussi ! Pour vous la jouer 100 % british, optez pour un *Ploughman's lunch*, un repas autrefois très apprécié par les laboureurs et composé de fromage, pickle, salade, pain et beurre.

### THE ROYAL OAK

**44, Tabard Street, SE1 4JU • M° Borough • Tél. 020 7357 7173**
**Ouvert du lundi au vendredi de 11h à 23h, le samedi à partir**
**de 18h et le dimanche de 12h à 18h**
**Alcools à partir de £1.75**

C'est l'un des pubs traditionnels les plus appréciés du sud de Londres. Dans ce bâtiment victorien restauré, on se retrouve après le travail pour jouer aux fléchettes tout en sirotant une pinte de Cask Mild, l'une des bières signatures de la maison Harvey's (également propriétaire de ce pub). Côté cuisine, la carte affiche les plats traditionnels des gastropubs, à des prix raisonnables.

### THE LAMB AND THE FLAG

**33, Rose Street, WC2E 9EB • M° Covent Garden • Tél. 020 7497 9504**
**Ouvert du lundi au jeudi de 11h à 23h, les vendredi et samedi jusqu'à**
**minuit et le dimanche de 12h à 22h30**
**Alcools à partir de £3**

C'est l'un des nombreux pubs historiques et incontournables de la ville, caché dans une petite rue. Anciennement The Bucket of Blood (littéralement le "seau de sang"), The Lamb and the Flag sert ses clients depuis plus de 300 ans. En fin de semaine, à l'heure de l'apéro, les deux étages sont bondés, même si la majorité des clients préfèrent déguster leur pinte debout sur le trottoir. Et si la faim se fait sentir, on peut opter pour le *Ploughman's lunch* (£5.25) ou pour les toasts (£4).

## BIERODROME
**67, Kingsway WC2B 6TD • M° Holborn • Tél. 020 7242 7469**
**Autres adresses sur www.belgo-restaurants.com**
**Ouvert du lundi au samedi de 12h à 23h**
**Alcools à partir de £1.75**

Bierodrome a su conquérir sa clientèle avec sa carte affichant plus de 200 types de bières à des prix très accessibles. Entre deux blondes, on peut profiter du Beat the Clock, où l'on paie sa commande en fonction de l'heure à laquelle elle a été passée – à 18h, on paye son plat £6 (valable du lundi au vendredi entre 17h et 19h). Autre offre idéale pour les familles : pour tout plat commandé par un adulte, le "mini Belgo menu" est offert à un enfant de moins de 12 ans. Un bon rapport qualité-prix, surtout au déjeuner.

## THE MONTAGUE PYKE
**105-107, Charing Cross Road, WC2H 0DT • M° Leicester Square**
**Tél. 020 7287 6039**
**Ouvert du lundi au jeudi 11h à 23h30, les vendredi et samedi jusqu'à minuit et le dimanche de 12h à 22h30**
**Alcools à partir de £1.50**

Ce lieu qui appartient à J.D. Wetherspoon, le grand manitou des pubs, est loin d'être raffiné mais on peut y boire un verre et manger un morceau à moindre frais. On s'offre, au choix, le "curry club" (curry + boisson) ou la "grill night" (grillade + boisson) à £5.99. Le cuisinier n'est certes pas étoilé au Michelin, mais ça peut dépanner.

### The Westbourne

101, Westbourne Park Villas, W2 5ED • **M° Royal Oak** • Tél. 0207 221 1332

Ouvert du lundi au samedi de 12h à 23h et le dimanche de 11h à 22h30

Alcools à partir de £2

Dans un quartier si calme, difficile d'imaginer qu'au coin d'une rue se trouve ce pub animé. En fin de journée, les Londoniens s'y retrouvent pour boire un verre et manger quelques huîtres sur le pouce. Tous sont adeptes de la grande terrasse (chauffée en hiver) avec ses bancs en bois et ses tables dépareillées. Si votre portefeuille est d'attaque, vous pouvez faire un tour en face, chez The Cow, le gastropub de Tom Conran (le fils de), un vrai repaire de *people*.

# Lounge attitude

La journée, ils sont très pressés, alors après le travail, les Londoniens aiment prendre leur temps. Rejoignez-les dans les bars pour travailler votre anglais, installé dans de confortables canapés…

### Keston Lodge

131, Upper Street, N1 1QP • **M° Angel, Highbury et Islington**

Tél. 020 7354 9535 • www.kestonlodge.com

Ouvert du lundi au mercredi de 12h à minuit, le jeudi jusqu'à 1h, le vendredi jusqu'à 2h30, le samedi jusqu'à 3h et le dimanche jusqu'à 23h30

Alcools à partir de £3.50

Islington est l'un des *boroughs* les plus agréables de Londres pour sortir le soir. Le Keston Lodge reste l'un des bars préférés des habitants du quartier. Le décor post-industriel, les gros canapés et l'offre "1 cocktail acheté, le second à £1" en font une adresse de prédilection pour l'apéro. En soirée, des DJs viennent mixer de la house, et en cas de petite faim, les plats à la carte sont élaborés avec des produits en provenance directe du marché d'alimentation le plus réputé de la ville : le Borough Market.

## The Dogstar

389, Coldharbour Lane, SW9 8LQ • **M° Brixton** • Tél. 020 7733 7515

Ouvert du lundi au jeudi de 16h à 2h, le vendredi jusqu'à 4h et le week-end à partir de 12h

Alcools à partir de £3

Ce bar accueille tous les soirs de la semaine des DJs que les clients écoutent en picorant des burritos, des tacos, des quesadillas et autres spécialités mexicaines de la carte.

## The Lock Tavern

35, Chalk Farm Road, NW1 8AJ • **M° Chalk Farm**

Tél. 020 7482 7163 • www.lock-tavern.co.uk

Ouvert du lundi au jeudi de 12h à minuit, les vendredi et samedi jusqu'à 1h et le dimanche jusqu'à 23h • Alcools à partir de £2.50

De gros canapés, des serveuses sorties tout droit de l'agence Elite et de la bonne musique attirent ici tous les soirs des Londoniens venus se détendre dans ce pub version contemporaine. Quand le temps le permet, ils filent sur la terrasse située sur le toit pour un bain de soleil et une jolie vue sur le Camden Market. Un petit creux ? L'indémodable *pie* version carrée qui figure au menu a fait des accros. Côté musique, si le DJ ne mixe pas, un juke-box prend la relève et se charge de l'ambiance. Une adresse smart dans le quartier de Camden.

## Bohemian Lounge

1, Great Eastern Street, EC2A 3EJ • **M° Old Street**

Tél. 077 2070 7000 • www.loungebohemia.com

Ouvert du lundi au samedi de 18h à minuit, le dimanche jusqu'à 23h

Alcools à partir de £3.50

Il faut trouver la porte coincée entre deux boutiques puis emprunter l'escalier pour arriver dans ce bar installé en sous-sol. La déco se la joue années 1960 avec mobilier en bois scandinave, papier peint vintage et luminaires design. Le cadre idéal pour siroter un verre de vodka Stolichnaya ou bien une Caïpirinha adoucie au miel. **Bon à savoir :** la réservation est indispensable et le costume interdit.

### Bar Music Hall

134, Curtain Road, EC2A 3AR • **M° Old Street**

Tél. 020 7613 5951 • www.barmusichall.com

Ouvert du lundi au jeudi et le dimanche de 11h à minuit, les vendredi et samedi jusqu'à 2h

Alcools à partir de £1.80

La bonne nouvelle, c'est que dans ce bar, tous les soirs, l'entrée est gratuite ! On peut donc assister sans se ruiner aux concerts de jazz le lundi et aux soirées "girls on top" le dimanche, animées aux platines par deux charmantes DJettes. Électro, rock, jazz, il y en a pour tous les goûts. Pour les petites et grandes soifs, on passe sa commande directement au bar, installé au centre de la salle. Un pilier de Shoreditch.

### Electricity Showroom

39a, Hoxton Square, N1 6NN • **M° Old Street**

Tél. 020 7739 3939 • www.electricityshowrooms.co.uk

Alcools à partir de £2.50

Les propriétaires du Hoxton Square Bar & Kitchen ont ouvert cette annexe à deux pas. Mêmes volumes, avec une déco un poil plus chic. Les murs tapissés de tissus vert bouteille côtoient les tableaux classiques et contrastent avec le plafond rouge pétant.

### Prague Bar

6, Kingsland Road, E2 8DA • **M° Old Street**

Tél. 020 7739 9110 • www.barprague.com

Ouvert tous les jours de 10h à minuit

Alcools à partir de £3

Ce bar attire une faune de trentenaires trendy venus goûter aux inoubliables cocktails du patron tchèque.

## **Pour les fans des sixties**

Bowling ou baby-foot, voici deux options pour prendre un verre tout en s'amusant !

### **ALL STAR LANES**

**Victoria House, Bloomsbury Place, WC1B 4DA • M° Holborn**
**Tél. 020 7025 2676 • Autres adresses sur www.allstarlanes.co.uk**

Cette chaîne de bars a remis le bowling au goût du jour. L'annexe située à Bloomsbury comprend six "allées", des serveuses habillées façon Happy Days et des banquettes en Skaï rouge. Pour combiner son envie de jouer et un déjeuner pressé, on opte pour Bowl and Bite : on commande son plat, on joue au bowling puis on mange !

### **BAR KICK**

**127, Shoreditch High Street, E1 6JE • M° Old Street**
**Tél. 020 7739 8700 • www.cafekick.co.uk**
**Ouvert du lundi au mercredi de 12h à 23h, du jeudi au samedi jusqu'à minuit et le dimanche jusqu'à 22h30**
**Alcools à partir de £2.70**

Ode au ballon rond dans ce bar qui vient de fêter ses dix ans. Le décor affiche des maillots de joueurs de toutes les nationalités et héberge quelques baby-foot pour les clients qui auraient la main droite qui les démange. Avis aux amateurs : des compétitions sont régulièrement organisées.

# Quand la musique est bonne...

### Jazz Café

5, Parkway, NW1 7PG • **M° Camden Town**
Tél. 020 7485 6834 • www.jazzcafelive.com
Ouvert tous les jours de 19h à 2h
Entrée gratuite ou jusqu'à £40, selon l'affiche

Les plus grandes stars du jazz, de la soul et du R'n'B sont venues chanter dans cette salle légendaire située près de Camden Town.

### The Dublin Castle

94, Parkway, NW1 7AN • **M° Camden Town**
Tél. 020 7485 1773 • www.thedublincastle.com
Ouvert du lundi au jeudi de 12h à 1h et du vendredi au dimanche jusqu'à 2h
Entrée £6 du jeudi au samedi, £5 les dimanche, lundi et mercredi

Madness à la fin des années 1970, Supergrass et The Cardigans dans les années 1990, les Arctic Monkeys dernièrement… Une grande partie de la scène rock anglaise est passée par ce club de légende. Pour découvrir les futurs grands de demain, il faut tenter sa chance. Chaque soir ou presque (la semaine à 20h30, le week-end à 20h), entre trois et cinq groupes se produisent dans la salle de concert au fond du pub. C'est quitte ou double !

### Ray's Jazz

113-119, Charing Cross Road, WC2H 0EB • **M° Charing Cross**
Tél. 020 7437 5660 • www.foyles.co.uk (rubrique "Ray's jazz")
Ouvert du lundi au samedi de 9h30 à 21h et le dimanche de 11h30 à 18h

C'est au premier étage de l'un des disquaires (également libraire) préférés des Londoniens que se tiennent des concerts gratuits de jazz et de blues. Coincé entre le snack et le rayon jazz, un piano est investi toutes les semaines par un artiste différent qui offre un concert d'environ 30 minutes aux clients.

**The place to be pour les fans de techno**

Le Fabric est l'un des clubs mythiques de la ville, fréquenté par les fans de techno et de house ainsi que par les meilleurs DJs du monde. C'est certes un peu cher, mais dans son domaine, c'est un lieu incontournable.

**FABRIC**

**77a, Charterhouse Street, EC1M 3HN • M° Barbican**

**Tél. 020 7336 8898 • www.fabriclondon.com**

**Ouvert le vendredi de 22h à 6h et le samedi jusqu'à 7h**

**Entrée £10 à £16**

# Big Chill House

257-259, Pentonville Road, N1 9NL • M° King's Cross St Pancras

Tél. 020 7427 2540 • www.bigchill.net

Ouvert du dimanche au mercredi de 12h à minuit, le jeudi jusqu'à 1h et les vendredi et samedi jusqu'à 3h • Alcools à partir de £3.30

Entrée gratuite sauf vendredi et samedi après 22h, £5

Un bar près de Brick Lane, un festival de musique au mois d'août et maintenant cette annexe près de la gare de King's Cross, Big Chill n'en finit pas de se développer. Les gros canapés et la vaste salle sont parfaits pour les soirées d'hiver, mais dès qu'un brin de soleil se pointe, tout le monde file sur la terrasse (chauffée) logée sur le toit. Grandes tables en bois, parasols, c'est là que l'on vient siroter le cocktail du mois, grignoter quelques tapas et discuter avec son voisin sur fond de funk, de house ou de sets acoustiques hip-hop. Et pas question de manquer le quiz musical du mercredi soir, avec des prix à la clé !

## Loungelover

1, Whitby Street, London E1 6JU • **M° Liverpool Street**

Tél. 020 7012 1234 • www.lestroisgarcons.com

Ouvert du dimanche au jeudi de 18h à minuit, le vendredi à partir de 17h30 et le samedi jusqu'à 1h

L'un des lieux les plus délirants de Londres. La déco est hallucinante, tout comme l'immense carte des cocktails (à partir de £7). Pour une folie d'un soir…

## The Vibe Bar

The Truman Brewery, 91, Brick Lane, E1 6QL • **M° Liverpool Street**

Tél. 0207 247 3479 • www.vibe-bar.co.uk

Ouvert du dimanche au jeudi de 11h à 23h30, les vendredi et samedi jusqu'à 1h

Alcools à partir de £2.70, entrée gratuite sauf les vendredi et samedi après 20h, £4

Véritable institution, ce bar ne désemplit pas depuis des années. Canapés moelleux, fresques murales amusantes et DJ pour l'ambiance. À l'extérieur, lorsque le temps le permet, quelques tables et un barbecue sont installés sur la jolie terrasse qui donne sur Brick Lane. Les habitués commandent d'ailleurs le cocktail "Yellow Brick Lane", composé de vodka, litchi, mangue et pomme avant de dévorer les délicieuses tartes de la marque Pieminister.

## Catch

22, Kingsland Road, E2 8DA • **M° Old Street**

Tél. 020 7729 6097 • www.thecatchbar.com

Ouvert les mardi et mercredi de 18h à minuit, les jeudi et vendredi jusqu'à 2h, le samedi de 19h à 2h et le dimanche de 19h à 1h

Entrée gratuite et jusqu'à £5

Un lieu plus underground dans le quartier de Shoreditch. Du mardi au samedi, dans les salles du haut et du bas, se déroulent plusieurs concerts rock et sets électro. Idéal pour dénicher les successeurs des Babyshambles, le groupe de Pete Doherty.

## Dream Bags Jaguar Shoes

32-34, Kingsland Road, E2 8DA • **M° Old Street**
Tél. 020 7729 5830 • www.jaguarshoes.com
Ouvert du mardi au samedi de 17h à 1h et les lundi et dimanche jusqu'à 0h30
Alcools à partir de £3.30

Le nom de ce bar branché du quartier de Shoreditch est lié aux deux
précédents commerces (de sacs et de chaussures) dont les enseignes
ont été conservées. La faune arty qui le fréquente apprécie les expos
photos, les gros canapés et les DJs qui viennent mixer. Le tout éclairé
à la lumière de bougies plantées dans des bouteilles d'alcools. C'est
là qu'il faut voir et être vu…

## Hoxton Square Bar & Kitchen

2-4, Hoxton Square, N1 6NU • **M° Old Street**
Tél. 020 7613 1171 • www.hoxtonsquarebar.com
Ouvert le lundi de 11h à minuit, du mardi au jeudi jusqu'à 1h, les vendredi et samedi
jusqu'à 2h et le dimanche jusqu'à 0h30
Alcools à partir de £1.70

Voisin de la White Cube, galerie d'art contemporain (voir p. 104), c'est
un bar emblématique de Shoreditch. S'il fait beau, on essaie de s'installer en terrasse, sinon, on s'assoit dans les vieux canapés déglingués
et les chaises seventies. Du lundi au jeudi, on écoute les concerts ; les
vendredi et samedi, on guinche sur la piste et c'est gratuit. La salle
est vaste, le décor industriel et l'ambiance garantie !

## HMV

150, Oxford Street, W1D 1DJ • **M° Oxford Circus et Tottenham**
Court Road • Tél. 084 5602 7800 • www.hmv.co.uk
Ouvert du lundi au samedi de 9h à 20h30, le jeudi jusqu'à 21h
et le dimanche de 11h30 à 17h30

À l'occasion du lancement de leur disque, de nombreux groupes se
produisent en *showcase* dans le HMV d'Oxford Street, l'un des plus
gros disquaires d'Angleterre. L'occasion de profiter gratuitement des
concerts des artistes les plus réputés du moment et même de faire
signer son album. Programmation à consulter sur le site Internet.

## 12 Bar Club

22-23, Denmark Place, WC2H 8NL • **M° Tottenham Court Road**
Tél. 020 7240 2120 • www.12barclub.com
Concerts du lundi au samedi de 19h à 3h et le dimanche de 18h à 0h30
Entrée de £5 à £7

Les Londoniens ont surnommé Denmark Street "Tin Pan Alley", du nom d'une musique populaire américaine, car on y trouve de nombreux disquaires et salles de concert. Avec ses banquettes moleskine rouge, ses nappes vichy et ses vyniles encadrés aux murs, le 12 Bar Club fait partie des meilleures adresses, proposant chaque soir quatre concerts. Folk, country, blues ou encore rock, tout dépend des têtes d'affiche. Et si la musique ne vous plaît pas, il reste toujours le juke-box… gratuit.

## The Borderline

Orange Yard, Manette Street, W1D 4JB • **M° Tottenham Court Road**
Tél. 020 7734 5547 • www.meanfiddler.com
Ouvert 4 jours sur 7 (vérifier la programmation sur le site), jusqu'à 3h pour le club
Entrée de £5 à £15

Lenny Kravitz y a donné ses premiers concerts londoniens. Aujourd'hui, l'endroit attire toujours les mélomanes en quête de bon son et, du mercredi au samedi, les clubbers. La soirée du vendredi, "The Queen is dead", compte de nombreux fans.

# En piste !

Après avoir fait les visites culturelles incontournables, il est temps d'aller s'agiter sur les pistes de danse les plus courues de la capitale… sans pour autant trouer ses poches ! Samba, hip-hop, pop, à vous de choisir votre style.

## Guanabara
Parker Street, WC2B 5PW • **M° Holborn**
Tél. 020 7242 8600 • www.guanabara.co.uk
Ouvert du lundi au samedi de 17h à 2h30 et le dimanche jusqu'à minuit
Alcools à partir de £4.60 • Entrée gratuite le lundi et mardi ; les autres jours, £5 à £10
Quelle meilleure alternative au *fog* (brouillard) londonien qu'un cours de samba dispensé gratuitement (les lundi et mercredi à 19h30) dans l'un des clubs les plus tropicaux de la ville ? Au Guanabara, on se réchauffe avec les concerts donnés chaque soir et avec les caïpirinhas à la fraise, à la noix de coco ou bien aux fruits de la passion. On ne rate pas la caïpirinha hour, du lundi au mercredi de 22h30 à 23h30.

## The Social
5, Little Portland Street, W1W 7JD • **M° Oxford Circus**
Tél. 020 7636 4992 • www.thesocial.com
Ouvert du lundi au mercredi de 12h à minuit, les jeudi et vendredi jusqu'à 1h et le samedi à partir de 13h
Alcools à partir de £1.60 • Entrée gratuite sauf événements spéciaux
Chaque soir, les deux salles de ce bar-club à deux pas d'Oxford Street proposent une programmation différente : du hip-hop à la house en passant par le rock. Certaines soirées thématiques sont programmées tous les mois. Parmi celles à ne pas manquer, le hip-hop karaoké : fous rires garantis…

## Jerusalem

33-34, Rathbone Place, W1T 1JQ • **M° Tottenham Court Road**

Tél. 020 7255 1120

Ouvert du lundi au vendredi de 12h à 2h et le samedi à partir de 19h

Alcools à partir de £3.50 • Entrée gratuite sauf le vendredi après 21h et le samedi après 22h, £5

On vient dans ce bar pour faire la fête, danser, boire un verre ou manger. À midi, deux plats pour le prix d'un et le soir, le menu 2 plats coûte £10 (sauf le samedi). Côté ambiance, le vendredi, on danse sur le son des années 1980 avec la soirée Club Tropicana (gratuit si vous arrivez avec une tenue années 1980!), le mercredi est réservé aux aficionados de la pop et les jeudi et samedi, un DJ se charge de l'ambiance. Et vu la file d'attente, c'est plutôt réussi…

## Salsa !

96, Charing Cross Road, WC2H 0JG • **M° Tottenham Court Road**

Tél. 020 7379 3277 • www.barsalsa.info

Café ouvert du lundi au samedi de 9h à 18h • Bar-restaurant-club ouvert du lundi au samedi de 17h30 à 2h et le dimanche de 18h à 0h30

Alcools à partir de £3.25

Dans ce bar *caliente* du quartier de Soho, les débutants viennent apprendre à danser et les confirmés épater la galerie. Tous les soirs, des cours de danse pour tous les niveaux. Pour les pros, c'est le lundi ; ceux qui font leurs premiers pas assistent aux cours du vendredi (entre 18h30 et 20h30) et du dimanche (entre 18h et 19h), gratuits avec une consommation. Pour recréer l'ambiance brésilienne, outre la façade verte et jaune, un buffet au kilo est proposé tous les midis (£0.99 les 100 g).

# DÉCOUVRIR

De Shakespeare aux Beatles en passant par William Hogarth, l'Angleterre a vu naître certains des plus grands artistes de ce monde. Pour jeter un œil à la relève sans se ruiner, il faut connaître les bons plans de la capitale. Voici le B.A.BA de l'intello malin.

## À savoir

• Pour ceux qui auraient envie de visiter la tour de Londres, le zoo, la cathédrale St Paul's et les autres grands sites touristiques, parfois hors de prix, mieux vaut acquérir le **London Pass**. Cette carte coupe-file donne accès à 55 attractions touristiques ainsi qu'à des réductions dans certains magasins et restaurants. Elle coûte £39 pour la journée (£25 pour un enfant). **Bon à savoir:** les prix sont dégressifs suivant le nombre de jours et il est possible d'acheter un London Pass combiné à une carte de métro. En vente sur www.londonpass.com et à l'office de tourisme.

• La plupart des théâtres bradent leurs places invendues trois heures avant le début du spectacle. Tentez votre chance directement au guichet.

• Pour tout savoir sur l'actualité culturelle, lisez la presse : des publicités offrent régulièrement des réductions sur présentation du journal ou en citant un code. Parmi les incontournables : le supplément "Hot Tickets" du quotidien *Evening Standard* (le jeudi) et *Time Out* qui recense tous les événements culturels gratuits.

DÉCOUVRIR | LONDRES | 101

# Musées nationaux :
# rendez-vous (gratuit) avec l'art

De l'Antiquité à l'avant-garde, leurs collections permanentes sont accessibles gratuitement. Libre à vous de laisser ou non une petite contribution. Voici une sélection des musées à ne pas manquer (liste complète sur www.culture.gov.uk). Attention, les expositions temporaires sont payantes, et au prix fort !

## British Museum

Great Russell Street, WC1B 3DG • **M° Holborn et Tottenham Court Road**
Tél. 020 7323 8000 ou 020 7323 8299 • www.thebritishmuseum.ac.uk
Ouvert tous les jours de 10h à 17h30, jusqu'à 20h30 les jeudi et vendredi
On ne le présente plus. On y vient notamment pour admirer la pierre de Rosette ou les frises du Parthénon.

## Museum of London

London Wall, EC2Y 5HN • **M° Barbican**
Tél. 020 7001 9844 • www.museumoflondon.org.uk
Ouvert tous les jours de 10h à 18h
Pour tout savoir sur la vibrante cité anglaise depuis ses origines, avec un focus sur les personnages incontournables, de Churchill à Charles Dickens en passant par Alexander McQueen, la reine et les punks. Un pur concentré de british attitude.

## National Gallery

Trafalgar Square, WC2N 5DN • **M° Leicester Square et Charing Cross**
Tél. 020 7747 2885 • www.nationalgallery.org.uk
Ouvert tous les jours de 10h à 18h, jusqu'à 21h le vendredi
Elle recèle l'une des plus belles collections de peinture européenne du monde, du XIIe au début du XXe siècle. Des visites guidées gratuites sont organisées tous les jours à 11h30 et 14h30. En accès gratuit également, les conférences (tous les jours à 13h) et le focus sur une œuvre (le vendredi à 18h). **Bon à savoir :** le vendredi de 18h à 21h, les entrées pour les expositions temporaires sont soldées à moitié prix.

## Natural History Museum

Cromwell Road, SW7 5BD • **M° South Kensington** • Tél. 020 7942 5000
www.nhm.ac.uk
Ouvert tous les jours de 10h à 17h50

C'est le repaire favori des amoureux de botanique, d'entomologie, de minéralogie, de paléontologie et de zoologie. Idéal à visiter en famille. Si le sujet ne vous intéresse pas, jetez au moins un coup d'œil au spectaculaire hall d'entrée.

## Tate Britain

Millbank, SW1P 4RG • **M° Pimlico** • Tél. 020 7887 8888 • www.tate.org.uk
Ouvert tous les jours de 10h à 17h50, jusqu'à 22h le premier vendredi du mois

Ses collections couvrent l'art anglais du XVI$^e$ siècle à nos jours avec des œuvres de Hogarth, Gainsborough, Turner, Constable, les préra-phaélites ou encore Bacon. Chaque année en décembre, on y remet le prestigieux Turner Prize à un artiste contemporain. **Bon à savoir :** en nocturne, les expositions temporaires sont à moitié prix.

## Tate Modern

Bankside, SE1 9TG • **M° Southwark et Blackfriars** • Tél. 020 7887 8888
www.tate.org.uk
Ouvert du dimanche au jeudi de 10h à 18h, jusqu'à 22h les vendredi et samedi

Elle offre un aperçu de l'art depuis 1900, avec des œuvres du fauvisme, du surréalisme, du Pop Art ou des artistes les plus contemporains. Le bâtiment, une ancienne centrale électrique, est en soi une curiosité, tandis que le café du dernier étage offre une vue panoramique sur la Tamise.

## Victoria & Albert Museum

Cromwell Road, SW7 2RL • **M° South Kensington** • Tél. 020 7942 2000
www.vam.ac.uk
Ouvert tous les jours de 10h à 17h45, jusqu'à 22h le vendredi

Il offre la plus vaste collection du monde en arts décoratifs. Il fait bon se perdre dans les kilomètres de salles et de couloirs, notamment les soirs de nocturne.

# Et aussi...

## White Cube

48, Hoxton Square, N1 6PB • **M° Old Street**

Tél. 020 7930 5373 • www.whitecube.com

Ouvert du mardi au samedi de 10h à 18h

Ce musée de l'Est londonien ouvre gratuitement ses portes toute l'année et expose la fine fleur de l'art contemporain.

## Saatchi Gallery

Duke of York's HQ, King's Road, SW3 4SQ • **M° Sloane Square**

Tél. 020 7811 3070 • www.saatchi-gallery.co.uk

Ouvert tous les jours de 10h à 18h

Collectionneur anglais réputé, Charles Saatchi a été l'un des premiers mécènes du Britart, ce mouvement anglais qui compte Tracey Emin et Damien Hirst comme chefs de file. Sa galerie vient de déménager dans un espace de 6 500 m², à deux pas des boutiques huppées du quartier de Chelsea. De la nouvelle scène chinoise à l'art contemporain du Moyen-Orient, toutes les expositions sont ouvertes gratuitement au public.

## Somerset House

Strand, WC2R 1LA • **M° Temple**

Tél. 020 7845 4600 • www.somersethouse.org.uk

Ouvert tous les jours de 10h à 18h

Entrée de £4 à £8, gratuit le lundi (sauf jours fériés) de 10h à 14h

La visite de la Somerset House peut prendre une journée, entre le Courtauld Institute of Art réputé pour sa collection de peintures impressionnistes et post-impressionnistes, la Gilbert Collection pour ses arts décoratifs et les Hermitage Rooms qui accueillent des expositions temporaires. En été, les enfants viennent jouer avec les fontaines d'eau et les adultes se régalent des projections en plein air. L'entrée est gratuite le lundi de 10h à 14h. Une bonne raison de prolonger son week-end.

## Southbank Centre

Belvedere Road, SE1 8XX • **M° Waterloo**

Tél. 087 1663 2500 • www.southbankcentre.co.uk

The Hayward : ouvert tous les jours de 10h à 18h

The Queen Elizabeth Hall : ouvert tous les jours de 10h à 22h30

The Royal Festival Hall : ouvert tous les jours de 10h à 23h

Ce grand centre d'art contemporain dont une partie a été récemment rénovée comprend The Hayward, un espace d'exposition, The Queen Elizabeth Hall, une salle de concert, et The Royal Festival Hall, l'une des plus importantes scènes du monde. Parallèlement aux événements payants, des spectacles de danse (souvent donnés dans les Jubilee Gardens, le jardin avoisinant), des expositions et des conférences sont ouverts à tous gratuitement. Un des hauts lieux de l'art contemporain à Londres.

### Des shows gratuits et centenaires

Pour vraiment goûter à l'âme britannique, il faut assister au moins une fois dans sa vie à la relève de la garde à Buckingham Palace. Elle a lieu à 11h30 tous les jours d'avril à juillet, et un jour sur deux le reste de l'année, pendant 45 minutes. C'est un spectacle incroyable et gratuit.

**BUCKINGHAM PALACE**

**SW1A 1AA • M° St James's Park**

**Tél. 020 7930 4832 • www.royal.gov.uk**

Autre grand moment : la cérémonie des clés qui a lieu à la tour de Londres depuis 700 ans. Démocratie oblige, elle est ouverte au public, mais uniquement sur réservation. Le passage de clés entre les gardes de la Reine se déroule en costumes et en musique tous les soirs de 21h30 à 22h05. La réservation (pour un maximum de 6 personnes) doit être faite par écrit, deux mois à l'avance, en joignant une enveloppe timbrée à son adresse.

**THE CEREMONY OF THE KEYS**

**HM Tower of London, London EC3N 4AB**

## Les First Thursdays

En partenariat avec le magazine *Time Out*, les galeries et musées de l'Est
londonien se sont associés pour lancer ce rendez-vous mensuel. Tous
les premiers jeudis du mois, ils ouvrent leurs portes jusqu'à 21h. Deux
pôles majeurs pour voir les expositions et les performances : Shoreditch
et Vyner Street. À ne pas manquer : le tour en bus de 19h à 21h, en compagnie d'artistes, d'écrivains et de conservateurs, gratuit en réservant
sur le site.

**Liste des galeries participantes sur www.firstthursdays.co.uk**

# Les maisons d'hommes célèbres

Il fait bon visiter ces maisons pleines de charme et d'œuvres d'art
ouvertes gratuitement aux visiteurs. Petite sélection.

## Geffrye Museum

136, Kingsland Road, E2 8EA • **M° Old Street** • Tél. 020 7739 9893
www.geffrye-museum.org.uk
Ouvert du mardi au samedi de 10h à 17h, à partir de 12h le dimanche et les jours fériés
C'est un délicieux endroit qui permet de comprendre l'évolution de
la vie domestique britannique de 1600 à nos jours – le jardin ajoute
au charme de la visite.

## Kenwood House

Hampstead Lane, NW3 7JR • **M° Golders Green** • Tél. 020 8348 1286
Ouvert tous les jours de 11h30 à 16h
Située dans le magnifique parc de Hampstead, elle se visite pour
son architecture et sa collection d'œuvres d'art, notamment riche
en tableaux de Vermeer et de Rembrandt.

## Maison de Sir John Soane

13, Lincoln's Inn Fields, WC2A 3BP • **M° Holborn** • Tél. 020 7405 2107
www.soane.org • Ouvert du mardi au samedi de 10h à 17h

La maison de cet architecte anglais est étonnante. Elle abrite une incroyable collection de moulages qui lui donne des allures de cabinet de curiosités fascinant.

## Wallace Collection

Hertford House, Manchester Square, WIU 3BN • **M° Bond Street et Baker Street**
Tél. 020 7563 9500 • www.wallacecollection.org • Ouvert tous les jours de 10h à 17h

Elle est réputée pour sa foisonnante collection de meubles et de tableaux français du XVIIIe siècle autant que pour… ses armures. Tout comme l'entrée, les conférences du lundi au vendredi à 13h, du samedi à 11h30 et 15h et du dimanche à 13h et 15h, sont gratuites.

## La dernière demeure du célèbre peintre William Hogarth

Great West Road, W4 2QN • **M° Turnham Green** • Tél. 020 8994 6757
www.hounslow.info/arts/hogarthshouse/index.htm
Ouvert du mardi au vendredi de 13h à 17h, jusqu'à 16h de novembre à mars et le week-end de 13h à 18h, jusqu'à 17h de novembre à mars

Elle est entourée d'un jardin et abrite la plus grande exposition permanente de son œuvre. Attention, en raison de travaux, la maison de Hogarth est fermée jusqu'à l'été 2011.

### C'est cher, le psy !

La demeure anglaise du père de la psychanalyse est ouverte au public. Certes, la visite coûte £5, mais voir le canapé sur lequel les patients de Freud se sont allongés n'a pas de prix…

**FREUD MUSEUM**
20, Maresfield Gardens, NW3 5SX • M° Finchley Road
Tél. 020 7435 2002 • www.freud.org.uk
Ouvert du mercredi au dimanche de 12h à 17h

# Où écouter de la musique classique ?

## City Information Centre

St Paul's Churchyard, EC4 M8BX • **M° St Paul's**

Tél. 020 7332 1456 • www.visitthecity.co.uk

Ouvert du lundi au samedi de 9h30 à 17h30 et le dimanche de 10h à 16h

Un grand nombre d'églises, notamment celles situées dans l'est de la ville, proposent des concerts gratuits, sans réservation, du lundi au vendredi à l'heure du déjeuner. On s'installe avec son sandwich pour une heure de détente. Les récitals de piano, d'orgue, de guitare ou de violon sont joués dans les églises alentour, comme St Martin Ludgate et St Anne & St Agnes. Programmation disponible sur le site Internet.

## The Royal Opera House

Bow Street, WC2E 9DD • **M° Covent Garden**

Tél. 020 7304 4000 • www.roh.org.uk

Pour assister aux *Noces de Figaro*, à *La Traviata* ou à un ballet de danse à petit prix, mieux vaut réserver tôt, par téléphone, sur Internet ou au guichet, afin de bénéficier des places à partir de £5. The Royal Opera House propose également, en parallèle des têtes d'affiche, d'autres spectacles à prix modérés. Enfin, pour profiter du lieu sans dépenser un penny, les concerts du lundi à 13h dans la Crush Room sont gratuits – à condition d'avoir réservé sur Internet ou sur place le matin même, à partir de 10h.

## St Martin-in-the-Fields

Trafalgar Square, WC2N 4JJ • **M° Charing Cross**

Tél. 020 7766 1100 • www.stmartin-in-the-fields.org

Cette imposante église qui trône sur Trafalgar Square – rendue célèbre par le grand chef d'orchestre Sir John Eliot Gardiner – programme gratuitement des récitals de grande qualité les lundi, mardi et vendredi à 13h.

### English National Opera

London Coliseum, St Martin's Lane, Trafalgar Square, WC2N 4ES
**M° Charing Cross** • Tél. 087 1911 0200 • www.eno.org

Pour voir un opéra dans cette prestigieuse salle sans y laisser toutes
vos pounds, mieux vaut réserver le matin même à partir de 10h :
les places au balcon sont alors soldées entre £10 et £15. Surveillez
également le site Internet, on y trouve des places sponsorisées par
4 Sky Arts à £20. Enfin, les moins de 30 ans bénéficient de réductions
(billets entre £10 et £30).

## Tous au théâtre !

### tkts

The Lodge, Leicester Square Gardens, WC2H 7NJ • **M° Leicester Square**
www.officiallondontheatre.co.uk/tkts
Ouvert du lundi au samedi de 10h à 19h et le dimanche de 12h à 15h

Depuis 1980, tkts propose des tickets de théâtre pour l'après-midi
ou le soir même à des prix bradés. Si l'on arrive assez tôt, on a généralement le choix entre les plus grands théâtres de la ville et une
trentaine de shows, dont les meilleures comédies musicales à moitié
prix (auquel il faut ajouter les £3 de frais de réservation).
**Bon à savoir :** tkts est le seul organisme officiel à vendre ces tickets
et il est possible de payer en euros.

### Shakespeare's Globe

21, New Globe Walk, SE1 9DT • **M° Mansion House**
Tél. 020 7401 9919 • www.shakespeares-globe.org

Pour les puristes, voir une pièce de Shakespeare en extérieur, dans les
mêmes conditions que de son vivant, c'est possible dans cet incroyable théâtre ouvert en hommage au célèbre dramaturge anglais. Pour
en profiter sans se ruiner, il y a pour toutes les représentations des
places debout à £5. Que les frileux se rassurent, les représentations
se déroulent uniquement d'avril à octobre…

## Royal Court Theatre

Sloane Square, SW1W 8AS • **M° Sloane Square**

Tél. 020 7565 5000 • www.royalcourttheatre.com

Dans ce théâtre du quartier chic de Londres, les pièces (contemporaines) sont accessibles à toutes les bourses. Les spectacles joués au sous-sol coûtent 10 pence (billets en vente sur place, le soir même, à partir de 18h30 ; attention, places debout et à visibilité réduite). Pour les moins de 26 ans, les places assises pour ces mêmes pièces coûtent £5 et peuvent être achetées par téléphone. Enfin, le lundi, tous les spectacles sont à £10 et peuvent être réservés par téléphone, Internet ou sur place.

## National Theatre

South Bank, SE1 9PX • **M° Waterloo et Southwark**

Tél. 020 7452 3000 • www.nationaltheatre.org.uk

Ouvert du lundi au dimanche de 9h30 à 20h

Dans ce théâtre contemporain situé sur les quais, on peut voir toutes les pièces de la saison à £10 ! La banque Travelex sponsorise ces billets qui peuvent représenter jusqu'à deux tiers des places selon les pièces. La réservation se fait sur place ou par téléphone. Pour les mélomanes, on joue également dans le foyer des concerts gratuits du lundi au vendredi à 18h et le samedi à 13h et 18h, juste avant les représentations. Jazz, ethnique, blues… la programmation est différente à chaque fois.

# Les "comedy clubs" : pour rire à l'œil

## The King's Head Theatre

115, Upper Street, N1 1QN • **M° Angel**

Tél. 020 7226 8561 • www.kingsheadtheatre.org

Dans ce bâtiment datant du XIXe siècle se niche l'un des théâtres préférés des Londoniens. On y joue tous types d'arts de la scène, des pièces contemporaines aux spectacles comiques. Les tickets les moins chers, à £5, sont vendus pour les représentations de 13h, appelées "Afternoon Lunch", pendant lesquelles on peut découvrir de jeunes auteurs. **Bon plan :** les billets à partir de £6 pour les soirées du dimanche, idéal pour lutter contre le blues dominical.

## Jongleurs

11, East Yard, Camden Lock, NW1 8AB • **M° Camden Town et Chalk Farm**

Tél. 087 0787 0707 • Autres adresses sur www.jongleurs.com

Ouvert les vendredi et samedi de 19h à 2h

Chaque semaine, quatre ou cinq comédiens, humoristes, imitateurs, ventriloques se partagent l'affiche pour 2h30 de pur show comique. Pour les découvrir, une seule formule à £17 qui comprend le spectacle et l'accès à la piste de danse. Avant d'y aller, on peut boire un verre sur la charmante terrasse de Lock 17, un bar qui surplombe le canal et Camden Market, juste au-dessus du club. Deux autres adresses à Londres (à Battersea et Bow).

## Comedy Café

66-68, Rivington Street, EC2A 3AY • **M° Old Street**

Tél. 020 7739 5706 • www.comedycafe.co.uk

Ouvert les mercredi et jeudi de 19h à minuit, le vendredi de 18h à 23h et le samedi de 18h45 à 1h

La façade, peinte en orange avec de gros ronds violets, est surmontée d'une bulle de bande dessinée dans laquelle est écrit : "ha ! ha !". Le ton est donné. Le Comedy Café est l'un des *comedy clubs* les plus populaires de Londres. Le mercredi, on y entre gratuitement pour découvrir huit nouveaux talents ; les jeudi et vendredi, ce sont quatre comiques confirmés qui se succèdent (entre £8 et £10 l'entrée) ; et le samedi, on profite en plus de la discothèque (£15 l'entrée). Le dîner, en revanche, est obligatoire.

## Lower Ground Bar

269, West End Lane, NW6 1QS • **M° West Hampstead**
Tél. 020 7431 2211 • www.lowerground.co.uk
Ouvert tous les soirs

Depuis trois ans, les jeunes recrues de Mirth Control – une organisation qui s'occupe des carrières de plus de mille humoristes anglais – s'installent tous les mercredis soirs dans cette salle et se produisent gratuitement. Nouveaux talents à découvrir.

### Shows télévisés ou comment voir des stars gratuitement en concert...

De nombreuses sitcoms et émissions de la télévision et de la radio anglaises sont enregistrées en public. Pour y assister, il suffit de surveiller la programmation sur les sites Internet spécialisés comme **www.tvrecordings.com** et **www.applausestore.com**. La BBC propose également un grand nombre de spectacles, de comédies et de concerts symphoniques, accessibles gratuitement sur réservation (087 0901 1227 et **www.bbc.co.uk/showsandtours**).

# Se faire une toile

Le cinéma est réputé hors de prix à Londres, voici quelques bons plans pour se faire une toile sans faire faillite !

## The Prince Charles Cinema

7, Leicester Place, WC2H 7BY • **M° Leicester Square**
Tél. 087 0811 2559 • www.princecharlescinema.com
C'est l'un des cinémas les moins chers de Londres. Les matinées en semaine coûtent £4 (£1.50 pour les membres), le soir et le week-end £5 (£3.50 pour les membres). On y retrouve tous les films du moment et quelques festivals.

## BFI Southbank

Belvedere Road, South Bank London SE1 8XT • **M° Waterloo**
Tél. 020 7928 3232 • www.bfi.org.uk
Le mardi, c'est cinéma au British Film Institute, puisque toutes les séances sont bradées à £5 ! Au programme : les dernières sorties et des rétrospectives. **Bon à savoir :** on peut réserver sa place par téléphone.

# Visites guidées à petits prix

## À nous deux Londres

Tél. 020 8876 0429 • www.anousdeuxlondres.co.uk
Certes, c'est un peu plus cher que le New London Tours mais l'avantage, c'est qu'on n'a pas besoin de son dictionnaire anglais-français ! À nous deux Londres propose des visites thématiques chaque dimanche à 10h30… en version française ! L'exploration du quartier de la City, Westminster ou encore Covent Garden coûte £9, mais elle est gratuite pour les enfants de moins de 15 ans s'ils sont accompagnés.

## Sandeman's New London Tours

Tél. 079 1228 3582 • www.newlondon-tours.com

Rendez-vous tous les jours à 11h à la station de métro **Wellington Arch** (sortie 2)

Sans réservation

Pour une vue d'ensemble des sites majeurs de la ville, le Royal London Free Walking Tour proposé par Sandeman's New London Tours est une bonne option, gratuite de surcroît! Pendant trois heures, le guide conduit les visiteurs à la cathédrale St Paul's, Covent Garden, Big Ben, Buckingham Palace ou encore au 10, Downing Street (résidence du Premier ministre). Mieux vaut se munir de bonnes chaussures. Gratuites également, les visites du quartier de la City (RV tous les jours à 10h à la station Tower Hill) et de "Londres noir, les sombres secrets de l'East End" (RV tous les jours à 14h à l'opposé de la sortie de la station Tower Hill).

### Promenons-nous dans les parcs

Presque tous les jours, des visites guidées thématiques sont organisées dans les parcs londoniens. Ces visites débutent généralement à 10h – mieux vaut réserver sa place avant. De nombreux autres événements sont au programme, gratuits pour la plupart.

Renseignements sur **www.royalparks.org.uk.**

Par ailleurs, **www.londongardenstrust.org** recense les visites guidées gratuites proposées dans les parcs. On peut également y télécharger des itinéraires de balades, des cartes interactives et quelques audioguides pour les quartiers d'Islington, Bloomsbury ou encore Chelsea, avec des suggestions de cafés, les horaires des musées et des parcs ainsi que les toilettes publiques situées sur le parcours.

# La ville en mobile

Pourquoi ne pas imprimer un itinéraire ou télécharger une visite guidée sur son lecteur MP3 ou son smartphone ?

Sur **www.iaudioguide.com**, on choisit sa version : gratuite avec de la pub ou bien payante mais sans pub (4,95 € pour l'accès à toutes les visites). Du British Museum au 10 Downing Street, la visite de tous les sites majeurs de Londres est disponible.
Journée marathon à la découverte des principaux sites touristiques ? Avant de partir, faites un tour sur **www.comeawaywithme.co.uk** qui recense des commentaires sur quelque 180 lieux tels que Covent Garden, la cathédrale St Paul's, le Ritz Hotel ou encore Harrods. À écouter en anglais et gratuitement sur le site et/ou à télécharger sur votre MP3 pour £7 (forfait qui donne accès à 5h de fichiers audio).

Le site de l'office de tourisme, **www.visitlondon.com/maps/trails**, propose de télécharger gratuitement des itinéraires par quartier (Notting Hill, Hampstead, l'Est ou encore les Docklands) ou par thème (sports, littérature, musique). Sur **www.visitlondon.com/maps/podcasts,** vous trouverez également des visites guidées à télécharger. En anglais seulement.
**www.culture24.org.uk** a mis en ligne des itinéraires, par quartier ou par thème, bien détaillés et assez agréables à consulter (tapez "podcast" sur le moteur de recherche du site). Certains possèdent même leur version audio, à télécharger. Et pour les iPod-lovers, tapez "Discover London Podcasts" dans le moteur de recherche, vous serez alors redirigé vers l'iTunes Store d'où vous pourrez télécharger gratuitement tous les podcasts du site. Pas de version en français.

Pour les amoureux des quais de la Tamise, le site **www.southbankwalks.com** propose de télécharger des brochures au format pdf, sur les principaux quartiers et les monuments importants comme la Tate Modern, le Westminster Bridge ou encore le Royal Festival Hall. En anglais seulement.

Enfin, le site **www.cityzeum.com** propose quant à lui des fiches sur la ville à télécharger sur son iPod, son smartphone, son mobile ou bien en version pdf traduites en français. Ouf !

### Les quartiers à la loupe

Certains *boroughs* (quartiers) de Londres soutiennent le tourisme en organisant des visites guidées gratuites. Par exemple, la cuisine moyen-orientale dans le quartier de Hammersmith, avec dégustations à la clé sur **www.visithammersmith.co.uk**.

Pour découvrir Fulham sous l'angle du shopping ou de l'histoire, il faut consulter le planning des visites sur **www.visitfulham.co.uk**.

Enfin, pour se balader dans le quartier de Paddington à la découverte de Little Venice, de l'histoire de la pénicilline ou des buildings de l'architecte anglais Isambard Kingdom Brunel, il faut réserver au 020 7313 1011 et sur **www.paddingtonwaterside.co.uk**.

# Les festivals, une spécialité londonienne

De nombreux **festivals** et autres événements gratuits ou presque sont organisés à Londres. Ne manquez pas ceux programmés l'été, une bonne saison pour les fauchés curieux.

• Chaque année, entre la fin janvier et la mi-février, d'incroyables festivités accompagnent le **Nouvel an chinois**. Rendez-vous dans Chinatown, entre Tottenham Court Road et Leicester Square.

• Le 17 mars, les Londoniens ne se font pas prier pour célébrer comme il se doit la **Saint Patrick's Day**, une fête catholique irlandaise. N'oubliez pas de porter du vert et de boire de la bière… irlandaise !

• À ne pas rater pendant l'été, le **festival BBC Proms**. Il attire les foules depuis plus de 80 ans. Tous les soirs, des billets pour les concerts classiques sont vendus à partir de £7. La majorité d'entre eux sont programmés au prestigieux Royal Albert Hall, à South Kensington. Tél. 020 7589 8212 et www.bbc.co.uk/proms.

• Si vous comprenez bien l'anglais, vous pourrez goûter aux charmes des classiques de Shakespeare, allongé sur la pelouse de Regent's Park pendant la manifestation estivale **Open Air Theatre**. Tél. 08448 264 242 (réservations) et 08443 753 460 (renseignements) et www.openairtheatre.org.

• Organisé par le National Theatre chaque été, **Watch This Space** permet de redécouvrir les classiques du théâtre assis en plein air face à la Tamise pour la modique somme de… zéro pence !
Tél. 020 7452 3000 • www.nationaltheatre.org.uk.

• Entre les mois de juin et juillet, les Londoniens se mobilisent pour le **Pride Festival** en faveur des LGBT ("Lesbian, Gay, Bisexual and Transgendered people"). Au programme : expositions et concerts un peu partout dans la ville, clôturés par une grande parade. Prix selon les événements.
Tél. 08 448 842 439 • www.pridelondon.org.

• Véritable institution, le mythique **festival jamaïcain de Notting Hill**, durant lequel on suit les chars dans la rue en musique, se tient généralement le dernier week-end du mois d'août.
Tél. 020 7229 3819 • www.thecarnival.tv.

• Pour les amoureux des arts pluridisciplinaires et des feux d'artifice, le **Thames Festival** se déroule mi-septembre sur les rives du fleuve de Londres.
Tél. 020 7928 8998 • www.thamesfestival.org.

• Le dernier week-end de septembre, on suit les Londoniens à la découverte de quelque 700 bâtiments à l'architecture remarquable. Des hôtels aux banques en passant par les habitations de particu-

liers et les agences d'architectes, les propriétaires ouvrent gratuitement leurs portes durant tout le week-end.
www.openhouse.org.uk

• Le 5 novembre, tous dans la rue pour profiter du feu d'artifice lancé
à l'occasion de la **Bonfire Night** qui célèbre, depuis 1605, le putsch
antiroyaliste avorté de Guy Fawkes.

### À la ferme !

À quelques stations de Canary Wharf, le deuxième centre d'affaires de
Londres, on vient se balader dans le charmant Mudchute Park qui pos-
sède sa propre ferme dont l'accès est gratuit. Chevaux, lapins et autres
coqs y broutent paisiblement à deux pas du snack écolo qui propose des
plats maison (entre £6.50 et £8.50), dont un copieux petit-déjeuner à
l'anglaise et de délicieux gâteaux. Très dépaysant (et reposant pour le
porte-monnaie des parents !).
**MUDCHUTE PARK & FARM**
**Pier Street, Isle of Dogs, E14 3HP • M° Mudchute • Tél. 020 7515 5901**
**Ouvert tous les jours de 9h30 à 16h30**

# SHOPPING

Entre les boutiques de créateurs, les grandes enseignes et les friperies, ne rien acheter pendant son week-end à Londres est un défi! Même si la majorité des magasins pratiquent des prix plus élevés qu'en France, les petites adresses et les bons quartiers permettent de faire des affaires. Quelques idées pour revenir les valises chargées de souvenirs en tous genres.

## À savoir

La plupart des étiquettes précisent les tailles anglaises et françaises. En cas de doute, voici les correspondances.
• Vêtements pour femmes : 38 équivaut à 10, 40 à 12, 42 à 14, etc.
• Vêtements pour hommes : 42 correspond à 32, 44 à 34, 46 à 36, etc.
• Pour les chaussures : 36 correspond à $3^{1/2}$, 37 à 4, 38 à 5, 39 à $5^{1/2}$, 40 à $6^{1/2}$, 41 à $7^{1/2}$, 42 à 8, 43 à 9, 44 à $9^{1/2}$.
**À noter pour les accros au shopping :** le jeudi est le jour d'arrivage des stocks dans la plupart des grandes enseignes comme Zara, H & M et Topshop.

## Les créateurs bradés

### Browns
24-27, South Molton Street, W1K 5RD • **M° Bond Street**
Tél. 020 7514 0016 • www.brownsfashion.com
Ouvert du lundi au mercredi de 10h à 18h30, le jeudi jusqu'à 19h et les vendredi et samedi à partir de 10h30
La luxueuse enseigne anglaise solde ici entre 30 % et 90 % les stocks de ses anciennes collections. On trouve également des vêtements et accessoires Yves Saint Laurent, Dries Van Noten, Diane Von Furstenberg, Alexander McQueen ou encore Comme des Garçons. Une chemise Marc Jacobs en satin peut coûter £195 et un jean Balenciaga £90. Ça reste évidemment un peu plus cher que H & M mais quand on connaît les prix en boutique, cela laisse songeur…

## Burberry

29-53, Chatham Place, E9 6LP • **M° Hackney Central Railway** • Tél. 020 8328 4287

Ouvert du lundi au samedi de 10h à 18h, le samedi jusqu'à 17h

Il faut être fan de Burberry pour se rendre dans cette partie excentrée de l'Est londonien, surtout si l'on ne reste que deux jours dans la capitale. Cela dit, les réductions ont de quoi réveiller la fibre *fashionista* qui sommeille en chacun de nous. Les anciennes collections homme, femme et enfant sont soldées à 30 % au moins, et on trouve aussi bien des classiques de la marque que des sélections plus originales. De quoi se rhabiller en tartan pour l'hiver.

## Joseph

53, King's Road, SW3 1QN • **M° Sloane Square**

Tél. 020 7730 7562 • www.joseph.co.uk

Ouvert du lundi au samedi de 10h à 18h30, le mercredi jusqu'à 19h et le dimanche jusqu'à 18h

Ce stock propose des vêtements provenant des dernières collections, bradés jusqu'à 80 %. On peut trouver des basiques comme un pantalon et un manteau à partir de £10, mais aussi une jolie paire de bottes ou une écharpe colorée. **Les plus :** le large choix de tailles et la situation géographique du stock, installé sur l'une des artères les plus commerçantes, tendance chic, en plein centre-ville. Ça change des magasins d'usine en zone 6…

## Paul Smith

23, Avery Row, W1K 4AX • **M° Bond Street** • Tél. 020 7493 1287

Ouvert du lundi au samedi de 10h30 à 18h30 et le dimanche de 13h à 17h30

Les fans du couturier anglais qui ne sont pas trop perturbés par l'idée de porter des vêtements de la saison précédente feront des affaires dans cette boutique. Tee-shirts, cravates, jeans, chaussures ou encore chemises sont déstockés avec des réductions allant de 30 % à 60 %. On trouve également des vêtements pour enfants et quelques livres… mais rien pour les femmes. *Damn* !

**Braderies à suivre à la trace**

Pour s'offrir les créations des maîtres du style anglais sans se ruiner, visitez **www.designersales.co.uk** et **www.ontheqtfashion.com**. Toutes les cinq à six semaines, ces déstockeurs de luxe s'installent dans un lieu différent, la plupart du temps à Londres, et bradent leurs marchandises jusqu'à moins 70 %. Pour être tenu informé des ventes, il suffit de s'inscrire sur le site. À bon entendeur...

# À chacun son marché

On aime les marchés de Londres pour les fringues un peu déglingues, les bric-à-brac absurdes et peut-être avant tout... pour ce qu'on y trouve à manger !

## Bermondsey

Bermondsey Square, Tower Bridge Road, SE1 3UN • **M° Borough**
Tél. 020 7234 0805 • www.bermondseysquare.co.uk/antiques.html
Le vendredi de 4h à 13h

Il ne faut pas avoir peur de se perdre pour y arriver et il faut aimer se lever tôt, car tout se passe le vendredi entre 4h et 13h... Mais une fois sur place, on est sûr de faire des affaires. Des antiquités, des bijoux, de la vaisselle, des livres à prix bradés que l'on peut encore négocier. Il faut en profiter avant que le marché ne soit envahi par les touristes...

## Camden Town

Camden High Street, NW1 7JL • **M° Camden Town**
Le week-end de 9h à 19h

Même si certains magasins restent ouverts la semaine, c'est le week-end que ce marché vaut le coup d'œil. Il est alors envahi par des punks, des touristes et des Londoniens en quête d'une fripe pas chère, d'un poster ou tout simplement d'une ambiance atypique. Il faut descendre à la station Camden Town puis suivre la foule qui remonte Camden High Street. Pour les meilleurs prix, on s'arrête juste avant le pont, au Camden Lock Market (Tél. 020 7485 7963. www.camdenlockmarket.com) réputé pour ses bijoux, son artisanat et ses jolies boutiques. Pour dénicher du vintage pas cher, il faut rejoindre le marché tout proche, Stables Market (Tél. 020 7485 5511. www.stablesmarket.com) où se trouvent tous les stands de nourriture chinoise, vietnamienne, mexicaine à consommer sur les grandes tables en bois ou debout, comme les Londoniens. Parmi les boutiques à ne pas manquer, Rokit est une référence : tout y coûte entre £2 et £10 (voir p. 126).

## Columbia Market

Columbia Road, E2 7NN • **M° Old Street et Bethnal Green**
www.columbiaroad.info
Le dimanche de 8h à 14h

C'est le marché aux fleurs le plus agréable de la ville. Tous les dimanches, on y croise des Londoniens les bras chargés d'orchidées, de lys, de roses et d'arbustes en tous genres. On y vient pour flâner dans les magasins de déco alentour, boire un café et écouter les quelques groupes de musique qui se produisent dans la rue. N'oubliez pas de vous offrir, en passant, un bagel saumon-*cream cheese* chez Jones Dairy Cafe (23, Ezra Street, E2 7RH), c'est un must !

### The market to be

Broadway Market est le marché trendissime de Londres, ressuscité récemment par de courageux promoteurs du bon vivre londonien. On y croise les Kate Moss en herbe venues acheter leur pain et leur fromage bio (sans oublier quelques pièces vintage). C'est un peu excentré à l'est, le marché n'est pas très grand, mais c'est définitivement là qu'il faut être...

**BROADWAY MARKET**
**Broadway Market, E8 4QJ • M° Highgate**
**Tél. 077 0931 1869 • www.broadwaymarket.co.uk**
**Le samedi de 9h à 17h**

## Portobello Market

Portobello Road • **M° Ladbroke Grove et Notting Hill**
www.portobelloroad.co.uk
Le samedi de 8h à 18h

Sûrement l'un des marchés les plus mythiques de Londres, bordé de charmantes maisons colorées. En venant de la station Notting Hill, remontez Portobello Road. À un assez bon prix, vous pourrez trouver de petites babioles (les grosses valent cher, tourisme oblige), des vêtements vintage ou signés par de jeunes créateurs installés au bout du marché. Une charmante balade et d'assez bonnes affaires en perspective.

## Sunday (Up) Market

The Old Truman Brewery, 91, Brick Lane, E1 6QL • **M° Liverpool Street**
Tél. 020 770 6028 • www.sundayupmarket.co.uk
Le dimanche de 10h à 17h

Ouvert en marge du Spitalfields Market (le marché dominical des créateurs près de Liverpool Street), devenu assez cher, le Sunday (Up) Market a gardé le même principe. Des stands de vintage et de jeunes créateurs côtoient les fumets des plats vietnamiens, grecs ou éthiopiens faits maison à emporter ou à déguster sur les tables d'hôtes en bois situées au centre. On débouche ensuite sur Brick Lane, l'artère 100 % indienne de Londres, où sont installés les particuliers qui bradent leur bric-à-brac (jeux vidéo, livres, chaussures, vêtements, etc.) à des prix parfois abracadabrants.

# Les temples du vintage

## Absolute Vintage

15, Hanbury Street, E1 6QR • **M° Liverpool Street**

Tél. 020 7247 3883 • www.absolutevintage.co.uk

Ouvert du lundi au samedi de 12h à 19h, le dimanche à partir de 11h

Plus de 10 000 articles vintage en vente dans cette boutique classée par *The Evening Standard* comme l'une des cent à ne pas rater dans le monde ! La spécialité maison : les accessoires. Chaussures, sacs et ceintures sont classés par couleur et coûtent entre £5 et £25. Kate Moss et Kirsten Dunst viennent s'y habiller. Les bourses plus fournies se rendront à l'annexe haut de gamme, Blondie (114-118, Commercial Street, E1 6NF. M° Liverpool Street. Tél. 020 7247 0050), pour dénicher un sac Chanel et des bottes Yves Saint Laurent.

## Beyond Retro

58-59, Great Marlborough Street, W1 F7JY • **M° Oxford Circus**

Tél. 020 7434 1406 • www.beyondretro.com

Ouvert tous les jours de 10h à 18h

Une vraie caverne d'Ali Baba : un jupon vert fluo, de grosses lunettes mouche, des escarpins vintage, une robe de soirée en dentelle, on trouve de tout dans cette boutique de *second hand* – il faut juste savoir chercher. Homme, femme, enfant... tout le monde trouvera son bonheur, quel que soit son style. À partir de £2.

## Retro Clothing

56, Notting Hill Gate, W11 3HT • **M° Notting Hill Gate**

Tél. 020 7565 5572 • www.mveshops.co.uk

Ouvert tous les jours de 10h à 20h

L'une des meilleures adresses de Londres pour ceux qui aiment les vêtements de marque sans en avoir forcément les moyens. De Louis Vuitton à Zara, de Chanel à Topshop, de Martin Margiela à H & M, les vêtements et accessoires sont lavés et repassés, on peut les essayer avant d'acheter. Mais une fois dégotée la veste Joseph à £3, on n'a pas besoin de réfléchir longtemps...

### Rokit Vintage

225, Camden High Street, NW1 7BU • **M° Camden Town**

Tél. 020 7267 3046 • www.rokit.co.uk

Ouvert tous les jours de 10h à 19h

C'est l'une des boutiques de vintage les moins chères de Londres. Ici, les soldes c'est 365 jours sur 365! Jeans, vestes, chemises, chaussures, sacs, tout coûte entre £2 et £10. Il faut juste avoir la patience de chercher pour dénicher la perle rare. **Bon à savoir:** au fond du magasin se trouve la section "à £2" où l'on peut trouver, avec un peu de chance, une minijupe Wrangler ou un jogging Adidas.

### Et aussi...
### Bang Bang

21, Goodge Street, W1T 2PJ • **M° Goodge Street** • Tél. 020 7631 4191

Ouvert du lundi au vendredi de 10h à 18h30 et le samedi de 11h à 18h

Pour les fans du vintage de luxe, ce dépôt "brade" du Louis Vuitton, Christian Louboutin, Balenciaga ou Marc Jacobs. Si l'on dépose un vêtement de créateur (quasiment neuf), on obtient une réduction sur son nouvel achat.

# Quand la grande distrib' se la joue fashion

### New Look

500-502, Oxford Street, W1C 2HW • **M° Bond Street**

Tél. 020 7290 7860 • www.newlook.co.uk

Ouvert du lundi au vendredi de 10h à 21h, le samedi de 9h à 20h et le dimanche de 12h à 18h

La chanteuse Lily Allen a réalisé pour New Look une série de robes. Le très prometteur styliste Giles Deacon a aussi signé quelques pièces. Les Londoniennes quant à elles raffolent du rayon chaussures de l'enseigne : des bottes plates ou vertigineuses, des derbys ou bien des stilettos de toutes les couleurs à partir de £10, voilà de quoi suivre la mode sans se ruiner...

## La folie des soldes

Dans une ambiance quasi hystérique, surtout les premiers jours, les soldes se déroulent deux fois par an – en hiver, fin décembre, et en été, fin juin – et s'étalent sur trois semaines. Les soldes de Harrods sont incontestablement les plus courues et il n'est pas rare de voir la veille au soir des gens camper devant le grand magasin pour être les premiers à l'ouverture. Les soldes commençant plus tôt qu'en France, les boutiques, de Body Shop à Stella McCartney, attaquent généralement les secondes démarques dès janvier. Très intéressant lorsque l'on sait qu'elles peuvent atteindre 80 %...

## Primark

499-517, Oxford Street, W1K 7DA • **M° Marble Arch**
Tél. 020 7495 0420 • www.primark.co.uk
Ouvert du lundi au vendredi de 9h à 21h, le samedi jusqu'à 20h et le dimanche de 12h à 18h
On pensait avoir tout vu avec H & M. Erreur ! Primark s'est installé il y a peu de temps dans le centre de Londres et c'est l'hystérie chaque jour de la semaine. On fait la queue minimum 15 minutes à la caisse, mais les sacs à £1, les tee-shirts basiques de toutes les couleurs à £3 ou encore les cachemires à £20 donnent le courage d'être persévérant.

## Topshop

216, Oxford Street, London W1A 1AB • **M° Oxford Circus**
Tél. 020 7927 7634 • www.topshop.com
Ouvert du lundi au samedi de 9h à 21h et le dimanche de 11h à 18h
Depuis que Kate Moss lui a dessiné une ligne de vêtements, Topshop s'est confirmé comme un détour incontournable pour ceux qui aiment la mode. L'immense boutique d'Oxford Street comprend donc la collection de la Brindille, une sélection vintage, de jeunes créateurs et aussi, au sous-sol, un temple pour les fétichistes des chaussures. Les hommes iront chez Topshop Man, juste à côté.

## Uniqlo

75, Brompton Road, SW3 1DB • **M° Knightsbridge**

Tél. 020 7591 0439 • www.uniqlo.co.uk

Ouvert du lundi au mercredi de 10h à 19h, du jeudi au samedi jusqu'à 20h et le dimanche de 12h à 18h

Se balader chez Harrods entraîne toujours quelques frustrations… Pour combler ses envies inassouvies de shopping, on peut aller chez Uniqlo, une grande enseigne japonaise dans l'esprit de Gap. Leur spécialité : le cachemire, qu'ils proposent en cardigan, gilet ou bien pull col V dans de nombreux coloris, à partir de £49.99. Ces basiques de bonne qualité ont déjà trouvé leurs fans à Londres…

## Et aussi…
## H & M

103-111, High Street Kensington, W8 5SF • **M° High Street Kensington**

Tél. 020 7368 3920 • Autres adresses sur www.hm.com

Ouvert du lundi au samedi de 10h à 20h et le dimanche de 12h à 18h

Les inconditionnels de la marque suédoise ne manqueront pas d'y faire un tour. Les prix ne sont pas forcément plus élevés (surtout lors des nombreuses périodes de promotions) et on trouve des modèles inédits en France, plus pointus niveau mode. Cela vaut le coup d'œil.

## Peacocks

201-203, Old Street, EC1V 9QN • **M° Old Street**

Tél. 020 7250 0342 • www.peacocks.co.uk

Ouvert du lundi au samedi de 9h à 18h et le dimanche de 11h à 17h

On murmure que Peacocks serait la prochaine grande enseigne de mode à petits prix à s'imposer sur le marché. À surveiller de près donc…

# Quand shopping rime avec bonne action

Pour recycler, s'entraider et faire des bonnes affaires, les Londoniens ne jurent que par les *charity shops*. On y croise aussi bien la mère de famille dans le besoin que le journaliste de mode ultralooké ou… Kate Moss. Les bénéfices des ventes des vêtements et accessoires, lavés et repassés, permettent de financer des associations. Les articles sont en très bon état et griffés Zara, Nicole Farhi, Marks & Spencer voire Gucci et Christian Lacroix, dans les magasins des quartiers chics. Selon les boutiques, on trouve également des objets de décoration, des CD et des livres. Le bon plan pour faire du shopping sans culpabiliser !

## Traid

61, Westbourne Grove, W2 4UA • **M° Bayswater**
Tél. 020 7221 2421 • www.traid.org.uk
Ouvert du lundi au samedi de 10h à 18h et le dimanche jusqu'à 17h

C'est devenu l'un des temples incontournables de la mode. Ce ne sont pas des volontaires mais des spécialistes du genre qui se chargent du tri et de la sélection. Résultat : les portants recèlent des trésors à des prix insensés, dont de très belles pièces vintage. Le magasin est notamment réputé pour Remade, sa ligne de vêtements recyclés et customisés par des stylistes. Des créations éthiques ultraoriginales.

## Octavia Foundation

211, Brompton Road, London SW3 2EJ • **M° Knightsbridge**
Tél. 020 7581 7987 • www.octaviafoundation.org.uk
Ouvert du lundi au samedi de 10h à 18h et le dimanche de 12h à 17h

Plutôt que de dépenser tous ses pounds chez Harrods, pourquoi ne pas aller faire des affaires et une bonne action dans cette boutique située à deux pas ? Cette enseigne œuvre pour améliorer les conditions de vie des plus démunis. La boutique est, à l'image du quartier, chic et apprêtée. Les vitrines sont soignées et les étals bien agencés. Les stocks sont régulièrement renouvelés et le sous-sol abrite des soldes permanentes.

## Oxfam

144, Notting Hill Gate, W11 3QG • **M° Notting Hill Gate**

Tél. 020 7792 0037 • Autres adresses sur www.oxfam.org.uk

Ouvert du lundi au samedi de 10h à 18h et le dimanche de 11h à 17h

C'est un incontournable des *charity shops*. Depuis que Victoria Beckham y a acheté une robe, les bénévoles qui tiennent cette boutique ont vu la fréquentation multipliée par trois ! Il s'avère donc plus ardu de trouver la perle rare, mais si l'on a un peu de chance, on peut tomber sur des vêtements de marques haut de gamme, donnés par les chics habitants du quartier.

## Salvation Army

9, Princes Street, W1B 2LL • **M° Oxford Circus**

Tél. 020 7495 3958 • www.salvationarmy.org.uk

Ouvert du lundi au samedi de 10h à 18h

Un *charity shop* à quelques mètres d'Oxford Street, la Mecque du shopping. Comme partout, il faut avoir la patience de fouiller mais le jeu en vaut la chandelle, puisque l'on peut dénicher de bonnes trouvailles Gap, Zara ou encore Topshop. Côté accessoires, de jolies chaussures vintage sorties des placards des plus chics grands-mères, et même quelques paires de Charles Jourdan pour les plus chanceuses.

## Et aussi...

Pour se faire la tournée des *charity shops*, Pimlico, près de Victoria, est le quartier idéal. On y trouve les grands noms comme :

- **Oxfam :** 15, Warwick Way, SW1V 1QT • **M° Victoria** • Tél. 020 7821 1952
- **Fara :** 40, Tachbrook Street, SW1V 1SH • **M° Victoria** • Tél. 020 7630 7730
- **The Crusaid Shop :** 19, Churton Street, SW1V 2LY • **M° Pimlico** • Tél. 020 7233 8736

En cherchant bien, on peut y dégoter un jean Levi's, une jupe French Connection ou une chemise Zara à moins de £10.

# Délices à petits prix

## Absolutely Starving

51, Tooley Street, SE1 2QN • **M° London Bridge**
Tél. 020 7407 7417 • www.abstarv.com
Ouvert du lundi au vendredi de 7h à 22h, le week-end de 9h30 à 21h

Ce supermarché-épicerie fine, situé non loin du Borough Market, LE marché des gastronomes, a fait des adeptes (voir p. 56). Idéal pour rapporter quelques souvenirs gastronomiques sans se ruiner. Le chutney pomme-menthe ou mangue chaude, entre autres, coûte £2.39, le thé à la groseille ou au cassis joliment emballé est vendu à partir de £0.99.

## Iceland

112-113, Lower Marsh, SE1 7AE • **M° Lambeth North**
Tél. 020 7620 3620 • www.iceland.co.uk
Ouvert du lundi au vendredi de 9h à 20h, le samedi jusqu'à 19h et le dimanche de 10h à 16h

Comme son nom l'indique, cette chaîne est spécialisée dans les produits surgelés. Ne passez pas votre chemin pour autant : on y trouve des produits d'épicerie fine (dont de très bons scones aux fruits), des sodas, des boissons alcoolisées et même un rayon fruits et légumes à des prix hallucinants… même pour des Français ! La plupart des magasins Iceland sont installés en banlieue, celui de Lower Marsh est le plus proche du centre.

## Monmouth Coffee

27, Monmouth Street, WC2H 9EU • **M° Covent Garden**

Tél. 020 7379 3516 • www.monmouthcoffee.co.uk

Ouvert du lundi au samedi de 8h à 18h30

Cette marque propose l'un des meilleurs cafés de Londres. On teste gratuitement le café brésilien ou argentin et on repart avec son paquet moulu sur place (à partir de £1.60 les 100 g). On peut boire son petit noir sur le banc dehors et se délecter du spectacle des passants du charmant quartier de Covent Garden. Quelques pâtisseries peuvent servir d'accompagnement, mais les habitués vous le diront : ce café-là se suffit à lui-même.

## Mrs Kibble's Olde Sweet Shoppe

57, Brewer Street, W1F 9UL • **M° Piccadilly Circus** • Tél. 020 7734 6633

Ouvert du lundi au mercredi de 10h à 18h, les jeudi et vendredi jusqu'à 19h, le samedi de 11h à 19h et le dimanche à partir de 12h

Régressif à souhait : de la réglisse, des *jellies*, du *fudge*, des *toffees* et d'autres sucreries vintage sont empilés dans de grandes bonbonnières transparentes avec de jolies étiquettes roses et blanches. Cette micro-boutique s'est spécialisée dans les bonbons à l'ancienne avec une ligne tout à fait moderne de produits... sans sucre ! Idéal à ramener comme souvenir : les bonbons aromatisés *rhubarb and custard* (rhubarbe et crème anglaise). À partir de £0.90 les 100 g.

## Sainsbury's

15-17, Tottenham Court Road, W1T 1BJ • **M° Tottenham Court Road**

Tél. 020 7580 7820 • Autres adresses sur www.sainsburys.co.uk

Ouvert du lundi au samedi de 7h à 23h et le dimanche de 12h à 18h

Évidemment, on trouve tout chez l'incontournable Marks & Spencer, mais dans le genre supermarché d'alimentation générale, Sainsbury's affiche des prix plus modérés. Achetez leur propre marque qui propose du *carrot cake* (gâteau à la carotte), du *rice pudding* (riz au lait), des *shortbreads* (sablés), du *lemon curd* (crème au citron) sans oublier une large variété de thés.

### The Tea House

15, Neal Street, WC2H 9PU • **M° Covent Garden** • Tél. 020 7240 7539

Ouvert du lundi au mercredi de 10h à 19h, du jeudi au samedi jusqu'à 20h
et le dimanche à partir de 11h

Vert, blanc, noir, de Chine, de Ceylan, du Japon, d'Inde, de Russie, de
Turquie, en vrac ou bien en sachet, on trouvera ici forcément thé à
son goût (à partir de £1.60 les 100 g). Pour une cérémonie dans les
règles, cette boutique propose de la vaisselle, des bâtons de sucre
ou encore de la marmelade. Le strict nécessaire pour un *tea-time*
digne de ce nom.

## Shopping pour mélomanes

### Rough Trade East

Dray Walk, Old Truman Brewery, 91, Brick Lane, E1 6QL • **M° Liverpool Street**
Tél. 020 7392 7790 • www.roughtrade.com

Ouvert du lundi au vendredi de 8h à 22h, le samedi de 10h à 20h et le dimanche
de 11h à 19h

Ce disquaire pointu est l'un des repaires des fashionistas de l'Est londonien. En fin de journée, ils prennent d'assaut les quelques tables
en bois installées à l'extérieur pour siroter du café bio et grignoter
des snacks issus du commerce équitable. On vient pour s'acheter
des CD, des vinyles, des œuvres d'art. On en profite pour écouter
les concerts, installé sur les gros canapés moelleux, et prendre une
bonne leçon de mode.

## Music and Video Exchange

38, Notting Hill Gate, W11 3HX • **M° Notting Hill Gate**
Tél. 020 7243 8573 • www.mveshops.co.uk
Ouvert tous les jours de 10h à 20h

Cette enseigne est réputée pour être l'un des meilleurs disquaires d'occasion de Londres. Au n° 36 de la rue, on retrouve les fans du classique, au n° 38, ceux du rock, folk ou encore du blues et au n° 42, ceux de la soul, du funk, du hip-hop et de la techno. Ne partez sans avoir fait un tour au sous-sol : c'est là que se trouvent les meilleures affaires.

## Sister Ray

34-35, Berwick Street, W1V 8RP • **M° Oxford Circus**
Tél. 020 7734 3297 • www.sisterray.co.uk
Ouvert du lundi au samedi de 10h à 20h et le dimanche de 12h à 18h

Dans cette rue du quartier de Soho qui regorge de disquaires en tous genres, celui-ci est réputé pour faire partie des incontournables. Rock, hip-hop, techno, house, soul ou encore disco, le choix est large et les prix compétitifs. Également quelques pièces rares datant des années 1970 et 1980.

## Sounds of the Universe

7, Broadwick Street, W1F 0DA • **M° Tottenham Court Road**
Tél. 020 7734 3430 • www.soundsoftheuniverse.com
Ouvert du lundi au samedi de 11h à 19h30

C'est l'un des disquaires indépendants qui fait de la résistance. Sa boutique dans Soho propose à la fois les productions maison, sous l'exigeant label Soul Jazz, et des disques d'occasion. Électro, soul, jazz, punk, on trouve un peu de tout mais la sélection reste pointue. Si vous êtes en quête du dernier Lady Gaga, vous risquez d'être déçu, mais si vous cherchez la perle rare, vous trouverez les bons interlocuteurs. Pas d'idée précise ? Laissez-vous guider par les coups de cœur commentés par écrit par les vendeurs, à la manière des libraires passionnés.

# CARNET PRATIQUE

# À savoir avant de partir

## Une monnaie... très forte

Même si elle fait partie de l'Union européenne, l'Angleterre a conservé sa monnaie, la livre sterling, à laquelle elle tient comme à la prunelle de ses yeux! La livre est appelée *pound* en anglais. Elle se divise en 100 *pence* et son cours tourne aujourd'hui autour de 1,15 € pour une livre (au lieu de 1,60 € ces dernières années, il faut en profiter!). Les cartes de crédit de type Visa ou American Express sont acceptées dans quasiment tous les établissements (à l'exception de certains bed & breakfasts). Le paiement par carte de crédit ainsi que les retraits sont la plupart du temps majorés d'une commission dont le montant varie d'une banque à l'autre. Renseignez-vous avant de partir auprès de votre banque.

**Bon à savoir:** les bureaux de change situés dans les magasins Marks & Spencer ne prennent pas de commission.

## Un certain décalage

En Angleterre, reculez votre montre d'une heure par rapport à l'heure française, été comme hiver.

## Faites 44 et dites "hello"

Pour joindre l'Angleterre depuis la France, il faut composer le 0044 puis le numéro du correspondant sans le 0. Pour joindre la France depuis l'Angleterre, il faut composer le 0033 puis le numéro du correspondant sans le 0. Le 155 permet d'appeler en PCV depuis l'Angleterre.

## Convertissez-vous... au système de mesures anglais

Les unités de mesure anglaises diffèrent du système français, mais les deux systèmes sont généralement indiqués. Au cas où: 1 *pound* (livre, abrégé lb) équivaut à 0,453 kg, 1 *mile* à 1,609 km, 1 *inch* (pouce) à 2,54 cm et enfin, 1 *pint* égale 0,56 l.

## Adaptez-vous

Le voltage des prises électriques anglaises (à trois pôles) est de 240 V, fréquence 50 Hz. Pour utiliser des appareils électriques provenant de France, munissez-vous d'un adaptateur, disponible dans la majorité des hôtels et vendu dans les gares, les aéroports et les grands magasins.

# Pour préparer votre voyage

## www.visitbritain.fr

Le site de l'office de tourisme de Grande-Bretagne regroupe de nombreuses informations générales ainsi que des plans de la ville et du métro à télécharger. Le site héberge également une boutique qui vend tickets de métro, guides, plans et billets pour les principaux sites touristiques. Vous pouvez vous faire livrer le tout directement à domicile : une bonne idée pour éviter de passer son week-end à faire la queue !

## Office de tourisme de Grande-Bretagne à Londres

Britain and London Visitor Centre
1, Regent Street, SW1Y 4XT • **M° Piccadilly Circus**
Tél. 020 8846 9000 • www.visitbritain.com
Ouvert le lundi de 9h à 18h30, le week-end de 10h à 16h (de 9h à 17h de juin à septembre). Fermé les 25 et 26 décembre
Pour obtenir des plans de la ville, acheter des titres de transport, trouver un hôtel, réserver des places de théâtre ou tout simplement se renseigner sur les lieux à visiter. **Bon à savoir :** on peut changer ici de l'argent sans commission.

### www.visitlondon.com

On trouve sur le site officiel de l'office de tourisme de Londres beaucoup d'informations sur l'hébergement, les restaurants et les activités culturelles de la ville. **Le plus :** les profils détaillés – *luxury, family, budget, young, gay and lesbian* et *green* pour les écolos – avec, pour chacun, une foule d'adresses.

### www.timeout.com/london

Une mine ! On retrouve sur le site Internet de l'hebdomadaire anglais toute l'actualité culturelle ainsi qu'un moteur de recherche recensant une bonne partie des restaurants et bars de Londres.

# SOS touriste en détresse

## Consulat général de France

21, Cromwell Road, SW7 2EN • M° South Kensington

Tél. 020 7073 1200 • www.consulfrance-londres.org

Ouvert du lundi au jeudi de 8h45 à 12h, le vendredi jusqu'à 11h30

Une adresse utile à connaître si vous perdez vos papiers d'identité ou en cas de problèmes plus graves.

## Trafalgar Square Post Office

24, William IV Street, WC2N 4DL • M° Charing Cross et Leicester Square

Tél. 020 7930 9580 • Ouvert du lundi au samedi de 8h à 20h

Pour envoyer du courrier lorsque les autres bureaux de poste sont fermés, c'est-à-dire après 17h30 en semaine et le samedi après-midi.

## National Health Service (NHS)

Tél. 0845 4647 • www.nhs.uk

Pour connaître le médecin ou l'hôpital le plus proche homologué par le NHS, garantissant aux touristes européens la gratuité des soins.

## Pharmacie 24h/24 : Zafash Ltd

233-235 Old Brompton Road, SW5 0EA • M° Earl's Court

Tél. 020 7373 2798

La seule pharmacie de Londres à être ouverte 24h/24, toute l'année. Leurs docteurs privés sont également disponibles à toute heure.

## Groupement des cartes bancaires

Tél. 0892 70 57 05 (00 33 892 70 57 05 depuis l'Angleterre)

Ce service, ouvert 24h/24, permet de connaître les numéros d'opposition de chaque banque.

## Numéros d'urgence : police ou pompiers

Tél. 999 ou 112

# Index

**Édition** Sandrine Gulbenkian et Clara Mackenzie
**Direction artistique** Isabelle Chemin, assistée de Marylène Lhenri
Avec la collaboration de Lucie Fontaine

Achevé d'imprimer en janvier 2011, sur les presses de Sagim, à Courtry
**ISBN** 978-2-35179-090-8
**Dépôt légal** février 2011
N° d'impression : 12189